KB087774

LEE EUN HYE
SPECIAL EDITION

BLUE

이은혜

BLUE

색의 공감지대에서 만나는 로맨틱 라이프 게임

BLUE

LEE EUN HYE
SPECIAL EDITION
BLUE
3
이은혜
학산문화사

BLUE

용서하지 마

[BLUE OST Vol.1 현빈 Theme]

모든 걸 이해하는 네게 무슨 말을 할까.

그만해, 제발.
날 용서하지 마.

너의 관대함이 날 바보로 만들어.
나의 또다른 사랑 이해하는 표정 짓지 마.
모르겠니.
너의 위로가 정말 힘겨워.

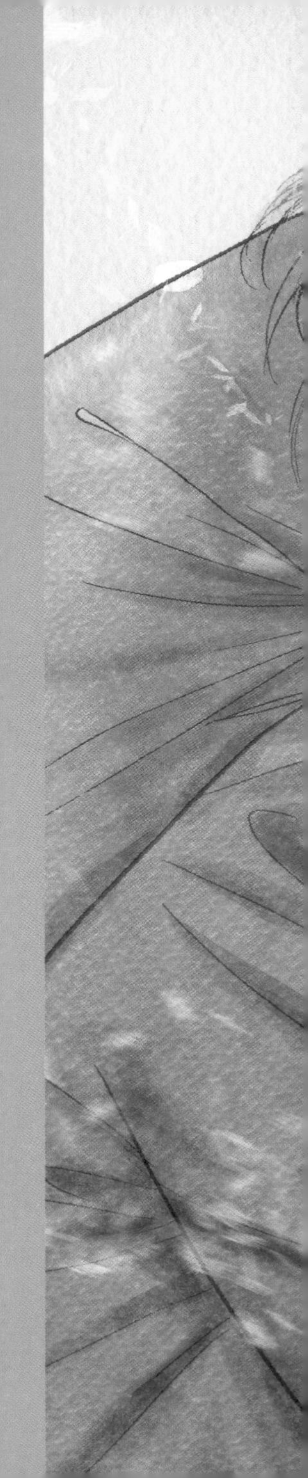

MERRY CHRISTMAS~!!!
할렐루야~!
짜식들아~. 오늘 내 생일도 된단 말이다!
맞다! 그 덕에 하는 파티인데 좀 띄워주자!
스무 살 된 은경이 생일 축하해!
축하해~!
축하해~!!
자! 노래 시작! 왜 태어났니! 왜 태어났니!
짝
짝
짝
준모 형~!
으휴, 노래를 해도 꼭~!
보채지 마라, 녀석! 다 준비됐으니까.
스무 송이 장미! 향수!

그리고
첫 키스~♥
준모 첨~!!

대충 해.
은경이 또
졸도하겠다.

해준아,
뭐 하는 거야?
응?
이거 연우가
좋아하는 거라….

자!
이것도 먹어,
연우야.
그만해,
해준아….
얼씨구!

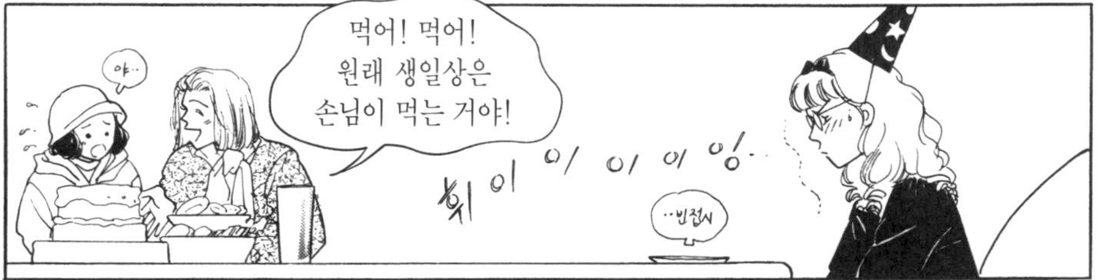
야…
먹어! 먹어!
원래 생일상은
손님이 먹는 거야!
휘이 이 이 이 잉…
…빈접시

퍽
퍽
퍽
세트로
노는구나,
야~.
퍽

이 나쁜 놈들아!
애인 없는 사람
놀리냐?
억울하면
덤벼라~!

그럴 때
부탁하라니까….
형은 좀 빠지셔!

으악—!!!

저 자식!
Come on!
하하하
하하

어이구!
어이구!
얍
얍
얍얍
파다다
삭
삭
하하

한 대
먹이고 싶은데
눈싸움을
왜 저리 잘해?
미꾸라지처럼
잘도 피하네.
하아 하아

작전 변경!

퍽
아앗!
연우야!

적을 알고 나를 알면 백전백승!
그녀와 너의 내연관계를 이용한 작전이다!
이름하여 사랑의 덫!
비겁하다!

자! 또 피해보시지!

으아악—!
안 돼, 이놈들아!

그래, 날 쏴라!
퍼벅
으으윽-! 연우! 나의 아들에게 전해주오. 아버지는 사랑을 위해 눈폭탄 속의 그대를 구하고 대신 갔노라고!
해준아! 안 돼! 거기….

연극 하냐, 쟤들?
…….

퍽!

으악!
이게 뭐냐?
안 된다고
했잖아!
까불다 다치니까
고소하다, 인마.
으하핫

돌이 있다고
말했어야지!
미안….
말 끝나기 전에
넘어져버린 걸
어떡해.

이런!
충격이 좀
있었네?
아파,
짜샤!!!
툭

가자!
커피 마시면서
검진해보자.
흥
하하

괜찮아?
머리….
엣취

감기 기운
있는 놈이
허술하게
다니냐?

장갑은
나도 없고.
손 이리 줘봐.
뭐 해? 둘….

완전히
얼었잖아.

가자.

와…. 저 두 사람
잘 돼 가는 것 같다,
승표야.
…….

해준아….

첫 인상보다는
갈수록 나아지는
타입인가?
해준이 오늘 보니
괜찮은 구석 있네.
어딘가 너랑
닮은 것도 같고….
곧 더 많이
눈치 채게
될 거야.

……?

승표야….

난 알아, 이해준….
널 빤히 읽을 수 있다.

승표야.

누구야?
저 여자?
아…,
본 적 있어.

무척 까다로운 여자라던데. 얼마 전 박 회장과 말 있었던 카페 주인.
저 여자예요?
……!
보셨어요? 눈이 와요!
나현!!!

White christmas예요!
너무 예뻐요 !
정말
아이같이
기뻐하는군요.

아! 홍 회장님.

이렇게 뵙게 되는군요.
상심이 크셨지요?
못 가 봬서 죄송합니다.

이쪽은
우나현 씨.
좋은 친구죠.
눈이 와요!
너무 예뻐요!
그쵸?
당신인가….
정말 당신인가?
들뜬 목소리로
눈을 좋아하던
나의….
휘익
나현 씨!
…….

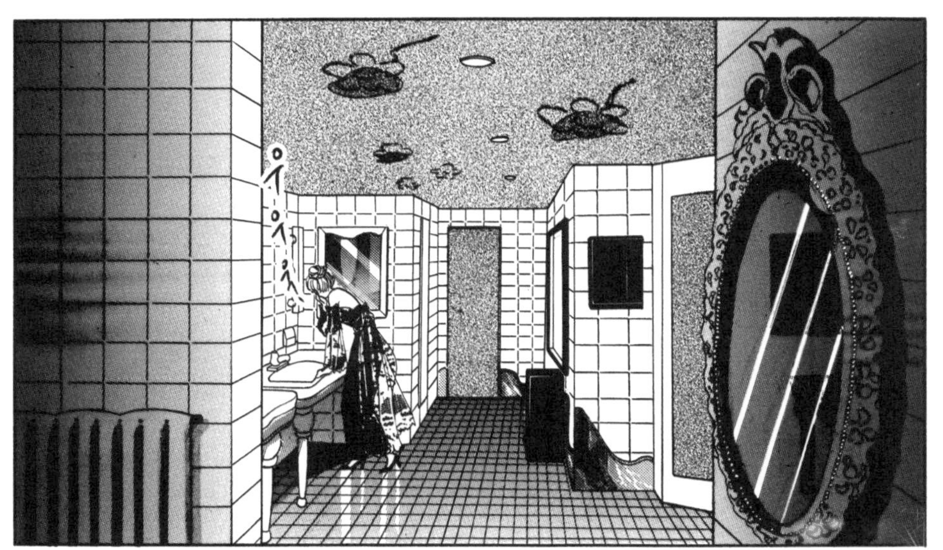

이렇게
당신을 마주치는 건 싫어!

당신을…,

당신을 다시 만나는
일 따위 없어야 해!

하아
하아
주르르르
괜찮으세요?
승표…,
우리 승표.

느낌이…
좋지 않아.

해준이 넌?
아쉽지만
우린 무용실
모임이 있어.
승표야,
가자니까,
너도.

간다.
와! 역시~.
충분한
대답이었다.
그렇게 벌떡
일어서다니….

먼저 갈게.
야! 홍승표!
뭐? 무슨 소리야?
승표야!

무슨 일이야?

미안, 나중에 전화할게.

안녕하세요!
요즘 좋던데요!
그쪽도
잘 나가던데!
콘서트
대단했다면서요?
BLUE
따라가겠어요,
어디….
와~, 연예인 천지다!
유채린! 하제! 와우!
댄싱러버 차효진! 서지우!
이거 웬 횡재냐!
사인! 사인 받아야 해!
난리 났군!
오랜만이네,
현빈이!
안녕하세요!
아!

그렇지 않아도
면담 신청하려 했는데
조만간 시간 좀 내요.
BLUE 2집 ART
얘기 좀 합시다.
아…,
그건 이미….

하제 씨! 노래!
자기 차례야!
피할 생각
마요~.
알았어요!

하윤이는
안 왔냐,
아직?
이 자식,
정말 사고
친 거 아냐?
만화가라구요?
뭐, 좋아요!
…….
LEE EUN

…….
은경이 신났네!
사인 받느라
정신 없네!
언제 철이
들려나~.
하하….

준모 형, 나
일어나야겠어.
아직 10시도
안 됐는데?
좀 있다 같이
나가자.

준모야!
아…,
누이.

누나 한잔
주라!
영광입니다!

네 지원 사격이
필요해. 이따…
집에 가기로 했다.
누이!

혼자서는 들어갈
용기가 나질 않아.
함께 가줄래?
우리 아버지 앞에
너보다 센
방패 없잖아.

그래.

애들한테 먼저 간다고 전해줘.
현빈아, 왜….
아…, 조심!
Sorry…
BANG!

그만 집에 가봐야 해요. 분위기 안 깨게 조용히 갈게요.

하윤 씨!

나오지 마세요.
머리가 무거워. 찬바람 잠깐 쐬려고.

왜 여기
앉아 있어?
들어오지 않고.

……
바다는 여전해….

전부 당신을
기다리고 있었어요.
언제나 그렇듯이….
바보같이.
그래서
울었어요?
잊어
버리라고
했잖아.

하윤…!

아!
아직
안 갔구나?
아무래도
배웅….
탁

현빈아!
나오지 마,
준모 형!

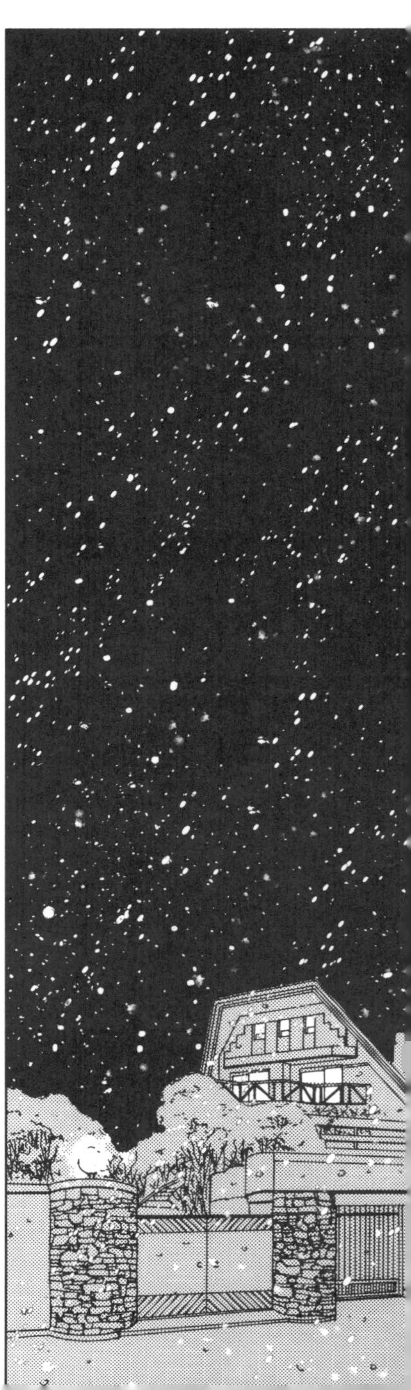

어머니.

너….

많이
기다렸지…?

예….

이 두 사람은
대체….

당신 아들 말이야,
대단해! 정말….
소식은 들어
알겠지만,
현지만큼 절감하지
못했을 거야.
우리 과 애들도
매니아가 꽤 돼.
여자애들에게
백마 환상을
일으키는
프린스라나?
하하….
TV에서 봤는데,
그 사람하고 쏙 빼닮아 순간 놀랐어!
하윤이 아빠인 줄 착각했다니까.
옛날 생각나더라.

그런데….
싸늘한 분위기는
당신 거던데?
그 사람 닮았으면
훨씬 따뜻한
표정이었을 거야.
그 후로 전혀
소식 없지?

후~. 주책이지?
미안해. 아직도
난 감상적이야,
당신이 싫어해도.
…….

그게 당신 매력이지. 꿈꾸는 표정으로 뭐든 용서하게 만들잖아.
오랜만에 듣는 소리네. 당신, 늘 그랬어. 잔뜩 꽈배기를 틀어서는 내게 퍼부어댔잖아.
판단을 흐리게 하는 모호함은 질색, 감성을 구걸하며 사느니 죽는 게 낫다고 말이야.
당신이 하윤이 아빠를 처음 떠난다고 했을 때는 이해할 수 없었어.
나 같으면 행동으로 못 옮겼을 일이었지.
지금은 알 것 같아. 이제야 환상과 현실을 구별하겠어. 20년이나 지나서야.
난 여전히 흉내도 못 내겠지만 솔직히 그런 당신이 부럽기도 했어. 그 감성의 반만 닮았어도 이곳을 떠나진 못했겠지. 그랬다면… 최소한 그 아이를 잃지는 않았을 거야.

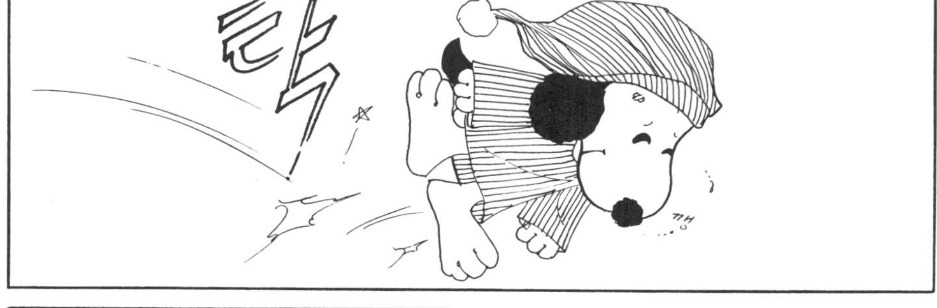
툭
깽

현빈아.
달칵
엄마….

첫 번째.

Hi~! BLUE Lady!
오늘도 씩씩한 하루를 지냈을 테지?
너를 만나 처음으로 맞이하는 크리스마스!
(아마도 파티 비슷한 것을 하고 난 뒤 읽게 되겠지만)
늘 함께하는 사람 중 하나이길 바란다. 네게...
이 카드 받고 전화주면 행복할 거야.
음... 예상컨대 내가 먼저 다이얼 할 확률이 높다.

-Blue Island-

* PS. 100번의 주문이 끝나면 소원 하나를 이룰 수 있다!
궁금하지? 그건 나중에~

승표?
집에 갔을걸? 집 전화번호는 모르겠는데.

승표야…,

네 전화가 필요해. 네 목소리가 듣고 싶어….

조심해!
미워지려고 해.
사적으로
흠모했었는데.
일취월장이라더니!
대단한 날개로구나!
무서워진다, 야….
부끄럽게
왜 그러세요.
덜 떨어진
악마에게 오히려
동정이 간다지?
천사의
이중인격보다 말이야.
천재도 질시 받는데
평범한 게 튀면
더하지 않겠어? 겸손은
내숭 사촌이라더니~.
콩쿠르 이후로
보이지 않는
적들이 생겼다.
말끝마다
가시가 돋쳐 있어.

딱!
연습 끝났으면
자리 좀
비켜주실래요,
누님들?

해준이 왔니?
그래…, 우린 다
끝내는 중….
자식..
썰렁
하긴..
뭐야, 그 말투는?
개인 연습 시간까지
주역 페이스에
따라야 한다는 거니?

놀라운데!
남의 생각도
다 읽고!
아주 정확해!
뭐라고?
너 다시 한 번 말해봐!
야~, 그만둬!
왜 이래? 해준이
너도 그만둬!

저 자식이
위 아래도 없잖아!
선배를 뭘로
보는 거야?
건방 떠는데
그냥 둬?
참아!
해준아,
너무 심해….
연습하자!

…….

아까 보니 스트레치가 불안하더라. 발 더 늘려, 더~.
쓸데없는 일에 신경 쓰지 마.
무대 위 서열은 실력으로 정해. 운으로 인정 받는 일 따위는 없어. 진정한 땀과 노력의 결과다.
…….
또 시비 걸면 겨루자고 해, 춤으로.
해준아, 그건….
넌 이제 막 박차고 올라왔어, 날아오르려면 전력으로 달려야 해. 멈추면… 죽는 거다.

아직 못 들었구나?
특히 NY팀 학장이
네게 주목해 있다던데.

…뭐?

몇 학년이세요?
이번에
수능쳤는데요….
BLUE
아, 그럼 이 원서
작성하시구요.
생활기록부랑,
성적표 제출하시고.
…….
돌고
도는 인생~,
옛날 생각
나지?

너 처음 봤을 때
서늘한 얼굴 생각하면
많이 발전한 거다.
제법 장밋빛 볼을
할 때도 있으니까,
신현빈!
멍청해졌다는
소리군.
그래….
나 요즘 엉망이야.
게을러진 거 하며…,
나도 마음에 안 든다고!

제법 재능 있다는
소리 들었던 적도
있는 것 같은데
지금은 완전
찐따가 됐어.
증세가
Falling in Love네.
능력 있는데~,
승표 녀석!!
준모 형!
나는
아닐 거고!
딴 녀석
숨겨놓기
전에야.

사랑을 하면
강해지는 사람,
약해지는 사람 두 종류.
내가 아는
신현빈은
전자인데.
감정의 실체가
확인된다면
물러서지 않아.
물론
끌려다니는
사랑은
하고 싶지 않아,
절대….

준모 형,
궁금한 게 있어.
준모 형의 연인,
혹시….
부럽구나….
난 마음뿐인데.
그것도 허락
받을 수 없는.

……
날 슬프게 하지 마.
그 이름을 대면
비참해지니까.

참, 저번에 말한 알바,
일주일 두 번
겨울방학 특강,
아직 유효한데
생각 없냐?
고2 기초만
잡아주면 되는데.
좋아요.
바빠지고
싶었는데.

승표 잠수했어요.
나도 애가 타.
아, 또 하나!
해준이 말이야!
모델 섭외 좀
할 수 있을까?
승표한테
연락 좀 해봐.

기분 괜찮으세요?
그래, 아줌마한테 부탁했으니까 끼니 거르지 말고.

부웅

걱정 마세요. 약 드시는 거 잊지 마시구요.
응…

보기가 하늘의 별 따기구나.
비싼 놈!
아…
왔어…?

아주 집으로 들어온 거야?
응…, 몸이 더 나빠지셨어.
싸울 힘도 없으시다, 어머니.
이젠 일방적으로 다치겠구나, 너….
팀 전체 초청은 처음이지? 공연 연습 바쁘겠다.
그래서 왔다. 당분간 못 볼 거야.
툭
연우 발은 괜찮아? 후유증 있을 텐데. 신경 많이 써줘. 아픈 표시 안 내는 녀석이잖아.
뭐, 그 자식 요즘 멋져!
눈이 반짝반짝해. 춤에 정신이 들었다고나 할까? 덕분에 코너에 몰리기도 하지만.

후….
기쁘기도 하고, 섭섭하기도 하고, 허전한 기분도 들고 그래.
날개 달고 하늘로 날아가 버릴 것 같아서.
어쩐지 나무꾼과 선녀 이야기가 떠오르는군. 하하―.
저것이!
네 얼음 공주하고는 어때? 서포트가 필요하면 말해.
그 후로 연락 못해봤어.
그쪽에서도?
전화번호 모를 거야.
홍승표…. 네 무심함의 횟수는 극히 적지만, 그 대미지가…
결정타가 된다는 걸 모르냐?

정말 지루하기
짝이 없는 3류
영상 소설이었어!
사진 아까워!
솔직히
좀 그랬어요.
그래서 말인데,
전에 말한
그 친구 좀 보자.
감각 있다는
예술학도.
아…,
승표요?
그래, 이번 호 영상 보고
자유 카피 써서
가져오라고 해. 그걸로
면접 테스트 끝내자.
통과하면 다음 호
바로 맡기게.
되도록 마감 전에 보자.
예,
그럴게요.
잘 되면 스키 타러 가자.
이재하 씨랑 BLUE
식구들은 다 용평에 갔어.
곧 쓰러 갔다니 위문공연
해야겠지, 우리 팬클럽이?
하하하….
그럼 수고!
화이팅!
승표야,
정말 어떻게
된 거야?
딸깍…!
띠리리…
BLUE
FRAME
PAGAN
Ultima VII

여보세요?
Hi !
……!
현빈아?
…….
하아…
여보세요?
홍승표….
목소리 왜 그래, 너?
이 말 기억하니? 기다리면서 눈물 나더라, 보고 싶어서….
보고 싶어, 승표야.

나빠.
책임질 수 없는 말로
착각에 빠트리는 거야.
정말 나쁜 건 너야.
어쩜 그렇게
사람 애를 태우니?
그런 식으로 헤어지고
연락 한 번 안 해?
기분 좋은데.
뭐야,
고의로
그런 것처럼
웃네?
너 괜찮아?
무슨 일인지
모르지만
잘 된 거야?
이번에 느낀 건데
너에 대해 모르는 게
많다는 거였어.
전화번호조차 말이야.
필요하지 않았잖아,
그동안….
그래….
전화번호 따위
무슨 상관이야.
이렇게 만날 수
있는 친구인걸.

이런 느낌은 익숙해 ….

하고 싶은 말 있구나?
이상하지…? 네 카드를 읽어서였을까? 너의 목소리가 너무 듣고 싶었어.
그러니 망설이지 말고 얘기해. 네가 원하는 이름으로 들어줄 수 있다.
허무한 기대는 하지 않을 테니….
그 다음은 듣기 두려운데.
정말 이상해…. 어째서 신영이가 아닌 너한테 말하고 싶었을까?
행여 다칠까 걱정 말고 너의 사랑을 얘기해.
나는 너의 친구이니 ….
네 말대로 감성의 중립 지점에 있기 때문이라고 해두자. 말해봐, 널 힘겹게 한 이야기.
…….

우스워. 이 나이에 ROCK 스타 신드롬에 걸린 거라고밖에 변명의 여지가 없으니까 답답했어. 정체불명의 불쾌감 때문에.
이 감정의 실체를 알기까지 오래 걸렸어. 얼마 전 우연히 너무도 쉽게 드러나버렸지만. 그와 어떤 여자가 KISS 하는 걸 질투하고서야 비로소….
일시적인 감정으로 끝났으면 좋겠어. 팬클럽 아이들의 열정, 그 한때처럼.

이런 일방적인 감정으로 사랑에 빠져들고 싶지 않아.

……..
한심하다고 말해줘. 날 부끄럽게 해줘, 승표야. 내게는 그게 필요해….

내 첫 번째 사랑은
거짓 연인에 팔려간
가여운 인어공주였다.
그래서 난…
슬픈 바다로부터 태어난
섬이 되었다.
내 두 번째 사랑은
바다보다는
하늘과 바람을 안고 나는
멋진 새를 사랑했다.
그래서 난…
새에게 그녀를 부탁했다.
내 세 번째 사랑은
인어공주도 아닌,
새를 사랑하지도 않는
바다에서 살았다.
사랑의 감정이란 의지로 제어되는 게 아니야.
마음 닿는 곳으로 자유롭게 놓아주는 것만이 네가 할 수 있는 유일한 몫이다.
두려워하지 말고 사랑을 해.

그 바다의 주인은 황금빛 물들인 태양.
그가 내게 멈추라 하지 않았지만

난 더 이상 나아갈 수 없다….

BLUE

너의 기억 속으로 들어가고 싶어
[BLUE OST Vol.1 승표, 현빈 Theme]

네 가슴에 그려진 나의 모습은
어떤 이름으로 남아 있을까.

때론 너의 기억 속으로 들어가
내가 원하는 마음 그리고 싶어.

지나는 바람이라도 좋아.
네 기억 속에서 살아갈 거야.

MANTRA
TMX 135
05
TRA
20
12 17
14 14

드디어
소원 풀었다,
이해준!
BLUE 1권의
한을 풀었어!
찰칵
찰칵…!
멋져!
멋져!
최고야!

MANTRA
TMX 135
18 7F
20 4E

이번엔 모자를 써보자. 응…, 이거.
와…, 귀엽다! 이거 언니가 만든 거예요?
자켓도 바꾸고….
으음…. 감촉도 좋고 편한데!

야아….
세트로 쓰니까
서커스단
남매 같잖아.
난 빼줘.
재주 잘 넘는 넌
그럴 수 있겠지만.
오우! 괜찮은데
두 사람! 놀아봐!
의외의 작품이
나오겠어.
찰칵
찰칵
찰칵
뭐 하는 거예요.
난 모델이
아니라구!
좋아요!
좋아요!
누구는 처음부터
모델이었나?
이제 알겠지?
카메라 앞에 서는 게
이런 거라구.
으아~.
하지 마!!!
자!
찍으세요!
이해준!
너까지
장난칠래?
이거 놔!
파시
어엇—.

어…, 미안!
괜찮아?
정통으로
눈을 맞았다.
으윽….
잘
안 보여.
어디 봐.
눈 속에 눈썹
같은 거 없어?
거북한데.
아니,
그런 거
없는데.
잘 찍고 계시죠?
분위기 안 놓쳤죠?
…….
대단하구나!
그래, 잘났다!
탁
글쎄….
이하윤보다야
하겠어?
…….

좀 도와주지?
제일 중요한 게 패션쇼라던데.
사진집 작품 패션쇼인데
촬영 본모델이 나서면
더 좋잖아?
…….

네 생각이야?
그들의 생각을
전하는 거야?
모두의
생각이야.

확실히 해.
네가 원한다면
모두가 반대해도
들어줄 수 있어.
…….
난 그들만큼
절실하지 않아.
어느 쪽으로도 그럴
이유 없으니까.

잘 가라.
오늘 수고했어.

탁

뭐야.
넌 겉과 달리
겁쟁이야.

지독한
욕심꾸러기에
못된 고집쟁이지.
안팎이 모순이면
깨지는 건
시간 문제야.
네 평가는
필요 없어.
뭘 안다고
그런 소릴 해?
탁

승표
다치기 전에
손 놔.

안녕하세요,
교수님!
이번 특강
인기 좋구나!
수업 빼먹는 놈들
여기서 다 보네?
새 학기 시험 때
기억해두겠다,
못된 것들!
영화광이니
스크린 불어가
효과적일 듯 싶어서요.
차 교수님 주석풀이가
본문보다 재밌기도 하구요
오늘도 기대됩니다.
억울하옵니다!
교수님께
이쁨 받고자
방학도 반납하고
보충하는 겁니다.
Ah bon….
SHE'S GONE

좋을 대로.
과연 별종끼리
통하는군. 아니면,
본토 교육의 비법?
당신 수업 청강
해봐야겠는데?

그래.
별로 내켜하지 않는군.
치사해서 관두겠어.
이따 봐.
명강의 하시고—.

안녕하세요,
교수님!
그래, 승표가 빠질 리 없지~! 외로워진다. 아….

아….

어…, 안녕하세요! 또 뵙는군요.

오늘 처음 나왔군요. 씨네 프렌치.

예.

이 시간 끝나고 볼 수 있겠어요?

들어요.

감사합니다. 대접 받을 만큼의 일은 아니었는데요.
대접이랄 것도 없어요. 차 한 잔 정도인걸.

불어 전공 인가요?
예술학과인데 선택으로 듣고 있습니다.

처음 프랑스사를 배울 때 시작된 관심이 고1 때 본 영화를 계기로 선택과목이 되었어요. 너무 인상적이었거든요.
어떤 영화였는지 궁금하네요.

LEOS CARAX의 「나쁜 피」였습니다. 보면서 무척 울었던 기억이 나요.

……….
커피가 참 맛있는데요.

꼭 다시 만나보고 싶었어요.
어떤 상황이 오버랩 된 이유도 있고, 그날의 친절함이 내 망설임을 많이 쫓아주었기 때문에.

낯설고 어색한 20여 년 만의 귀향에 이렇게 빨리 보고 싶은 친구가 생길 줄은 생각도 못했는데….
고마워요.
와아~. 교수님 특강 듣는 것만으로도 큰 행운인데,
보고픈 친구라 말씀하시니 영광입니다!

20년 만의 귀향이면 보고 싶은 분들이 무척 많으시겠어요. 홀로 유학이시면 가족들은 더욱….
없어요.

……
……

또 눈이
오네요.

그러고 보니
교수님 처음 뵙던 날도
눈이 내렸어요.
지각 첫눈이었죠.
그렇군요.

그럼 이만
가보겠습니다,
교수님.
아….
그래요,
즐거웠어요.

…괜찮으시다면 제가 한번 모시고 싶습니다. 커피에 대한 답례로 교수님께서 기회를 주신다면요.
빈말 인사는 그만둬요. 정말 데이트 신청하길 기다리면 어쩌려고? 게다가 난 고약해서 기다림에 대한 인내심은 조금도 없어요.
다음 주 강의 끝나고 뵙겠습니다! 약속하신 겁니다. 그럼!
아—.
다음 뵙는 날엔 말씀 낮추시는 것도 잊지 마시구요!
쓸데없는 소릴 지껄였다. 씁쓸한 세월의 대가인가….

아직도
자요?
어제 철야
있었단다.
깨우지 마.

헤이—, 잠꾸러기.
언제까지 잘 거야?
뚝
으응….
…왔어?
GOOD MORNING—.
조금만 더 잘게….
영화 보자고
불러놓고
계속 잘 거야?
네 시간 기다렸어.
오락도 지겹고
심심해!
나… 간다.
혼자 영화 보러
갈….

같이 자자.
조금만, 응…?
10분만….
금방 일어날게….

…….

그 친구랑
이렇게 자?

파
ㅅ

달칵
결국에는 깨웠구나.
섭섭하다고 굿을 치더니!
어쨌거나 일어났으니
밥 좀 먹어야지?
준비 돼가니
내려들 와.
예! 곧 내려
가겠습니다,
이모.
…….
…….
탁
잘못했어,
누이.

너랑은 이제
장난칠 수도 없겠구나.
언젠가는 지금과 다르게
살 거라 생각했지만
너무 갑작스럽다.
그저
질투한 거야.
항상 그랬던
거잖아.
탁

…….

정말 멋진 글 솜씨야!
내가 찾던 감성이었어요!
감사합니다.
잘 부탁해!
이번 호부터
들어오는 거예요.

신춘문예나
공모전 도전
꼭 해봐요!
내가 장담해!
팬1호
할 테니까!

거기까진
멀었는 걸요,
아직….

광고
차장님,
오시라는데요,
회의실~.
오늘 총판장
회의가 있어요.
응..

이번 원고
가져올 때
현빈이랑 와요.
저녁 같이
합시다.
INFORMATION
예,
그러죠.

또 뵙겠습니다,
수고들 하세요.
안녕-
잘 가세요.
안녕히 가세요.

THE FINAL CHAPTER
요즘 애들은
왜 저리 예뻐요?
잘생겼네!
아예 모델로 쓰죠.
이하윤만큼 스타일
나오겠는데?
MUSE

사람 볼 줄
모르는군.
저 친구는…
그런 류가 아냐.
아주 색다른 게
정말 묘해.

여보세요?
아, 정 기자님.
여기 현관 인터폰인데
제 친구 아직
있나 해서요.
승표 군
나갔어요,
금방.
올라와요.
현빈 씨 주라고
이재하 씨가 맡긴
사진도 나왔는데.
용건 없이는
놀러 오지도 않아요?
섭섭하네.
그게…,
지나던 길이라.
아니에요,
올라갈게요.

오랜만이네, 처녀.
가는 김에 전해줘요.
〈MUSE〉 우편물.
예….

…….

죄송해요, 아저씨.
다음엔 꼭
전해드릴게요.
…

삐
리
리
리
리
리…
하아 하아
다
다
다
닥…
출발합니다.
다음 열차를
이용하여
주십시오.

하아

하아
하아

하아….

…….
쏴…

바보야.
열차 지나갔어.
이렇게 크게 듣고
있으니까 놓치지.

왠지 타고 싶지
않더라니.
널 만나려고
그랬나 보다.

못됐어, 너!
좀 늦어도
간다고 했는데
왜 나왔어?
혼자 앉아 있기
그렇잖아.
촬영은 잘 했어,
해준이…?
…누가
뭐라 해도
이 손
안 놓을 거야.

와우~!
이게 스키라는 거군요?
몇 년 탄 거 치고
새것이네요?
말이 몇 년이지
횟수는 몇 번 안 돼.
시간이 나야 말이지.
MUSE

현빈 씨는
맨몸으로
가요?
이번 기회에
스키복 사지
그랬어요?
옷은 아미 선배에게 빌리고,
모든 것이 렌트 된다니까
뭐….
옷으로 초보
떼어진대?

연습복 입고
구르다가
제대로 설 때
좋은 옷
입는 거야~.

참, 봤어?
승표 글
들어갔는데,
멋져!
아! 이번 호
나왔군요!

근데 홍승표 씨는
같이 안 가요?
벼르셨잖아요,
차장님.
내 생각에는
안 오는 쪽 같지만…
일 있어 못 오신대요.
쑥쓰러운가 봐.
나중에라도
온다 했으니
그런 건
아닐 거예요.

똑
똑
다 준비됐죠?
서둘러야겠어요.
시내가 벌써부터
꽉 막혔어요.

모두 즐겁게
다녀오세요.
다치지 마시구요!
미안해요,
같이 못 가서.
…아,
같이 오겠다던 친구,
승표라고 했던가?
안 보이네?
언니도
승표 아세요?
와—,
어느새….

느낌이 그랬어. 오버일지 모르지만 둘이 다툰 게 아닌가 싶더라.
다른 뜻은 없었어. 여자들 이기심에 대한 충고 정도였지.

손 놓으라고 했어. 너 다칠 것 같다고.

뭐라 그래?
…….

역시…,
그랬구나.

승표야…,
너희 무슨 일
있는 거야?

진행은 되고 있어.
어떤 식으로든.
서툴게 끝이 나도
거기까지가 인연인 거지.
억지로 이을 수도,
잇고 싶지도 않아.
하나만 묻자.
너 정말 최선을
다하고 있어?
그렇게 안 보여.
넌 항상 떠날 준비를
먼저 해.

너무 여유를 주면
적들에게도 그 틈이 노출된다.
결국 네 실수로 잃는 거야.
됐어, 해준아.
거기까지.
충분해.
그 중 하나는
떠난다.
내가
인정하는 건
너뿐이야.
다른 사람에게
뺏기지 마.
넌… 결국
떠나지 못할 거라
말하는 거야.

물론이야.
네 뜻대로 되진
않을 거야.
반복하진 않아.
이번엔
널 용서하지
않을지도 몰라.
해준아….
해준이
어떻게 된 거야?
아직이야?
CHECK-IN
DEPARTURE
정말 두 시간 전에
나갔대?
전화해봤어?
배웅하는 친구랑
같이 나갔다고
했어요.

어! 저기!
어디?
죽었다 자식..
죽을 죄를 졌습니다!
교수님!
친구랑 먼저 왔는데
얘기가 좀 길어져서….
이노무 스키!
출발 전부터
신경 긁을래? 엉?
UNIT
시간 없어!
죽이든 살리든
일단 올라타고,
하늘에서
밀어버리자고!!

건강히
다녀오세요!
좋은 소식
기다릴게요!
그래,
연우 너도
연습 무리하지 말고
건강하렴!
연우야, 흑흑…,
잘 있어.
나 보고 싶어도
참고!
안녕!
다녀올게!
DEPARTURE
승표
2층 커피숍에
있어, 연우야.
승표?
응—.
전화할게.
응….
같이 못 가서
섭섭하지?
승표야!

오셨군요!
어서 오십시오!
환영합니다!
금녀의 구역을
찾아주시다니
너무나도
영광입니다!
고생해서 온
보람 있네!
열렬한 환영,
좋았어!
뭐 하고
있었어요?
계속 전화
안 받던데.
전화 코드
빼놨어요.
방해돼서.
어제까지
작업만 했어요.
시간 맞춰
잘 오신 거예요!

매일 밤샘하고…
오늘 처음으로
낮까지 자고 샤워하고
밥 먹었어요.
놀지도 않고
했다는 말을
믿으라고? 흥!
믿어요!
고생 많았죠?
영민이는 아직 자고,
하윤이는 스키 타러
갔어요.
오늘 당번
두 사람인가 보죠?
나머지 배짱이들은
어디 갔죠?
하윤이는
어디 있는 거야?
이 넓은 곳에서
찾을 수나 있나….
자—,
함께 몸 좀 푸셔야죠,
송 차장님!

걱정 마세요!
유독 눈에 튀는 놈
찾으면 바로
그 녀석이니까.
그렇게
요란한 옷을
입었나?
하하..
아..

파.. 파.. 파
파
파

SWAN
K2
K2
LEKI

촤아아악
Nice!
SWAN
와우!
....
....

하...
오셨어요?

어때요,
정말 튀죠?
와~, 굉장한데!
올림픽 출전해도
되겠다!
정말 이하윤 맞아?

....

위쪽엔 눈이 아주 좋아요. 아래쪽은 많이 녹아 얼었거든요. 고급 코스는 사람들이 적어서 바로 리프트를 타요.
난 겨우 중급이라! 저런 고난도 코스에 목숨 바치고 싶지 않아요~~!
저희랑 가시면 되겠네요. 중급은 이쪽입니다, 송 차장님!
NORDIC
아미—.
좋아요!
어디를 따라가는 거야? 이 친구는 프로….
아미 씨가 앞지를 적이 많았어요, 스위스에서.
와아…
내기 하세요, 이기는 편이 커피 사기!

……….
스
오
우우….
갑자기 외로워.
너무 기죽이는데
이거.
완전 초보도
있어요.
NORDIC
…….

현빈아,
멀리 가지 말고
여기서 연습하고
있어.
한번 돌고
옵시다!
예…

다녀오세요.
이따 봐!
조심!
NORDIC

한심하구나,
신현빈….
눈길조차
제대로
맞추지 않는
사람을
보러 온 거야?

…신현빈 씨는?
사냥 중이야.
태양을 따러 갔어.

…….
우유부단 하거나 용기가 부족한 것은 아니라고 생각해.

선택하기 전에 그녀 역시 어떤 선택을 한 것일 뿐.
나를 기다리지 않았다고 약속해할 수는 없는 일이지.

내가
준비하는 시간이
너무 오래 걸린
모양이야.
난….
연우야 ….
난… 정말…
네가 행복했으면
좋겠어.

또다시
사랑에 빠지는 건
차라리 쉬운 일.
고통의 길에 이르는
승산 없는 게임.
나의 얻음과
너의 잃음은 동의어.
원하지 않았으니
잃은 것도 없다.
그렇게
마음을 닫는 건
차라리 쉬운 일.
새로운 안녕.
또 다시 반복되는
과거와 현실의
이중주를 듣는다.
여전히 너로 인한
고독 속에서….

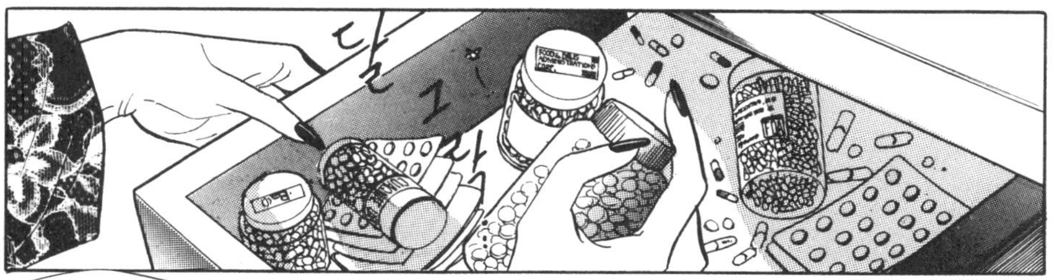

달그락

어머니…,
안 주무셨어요?
아….
탁

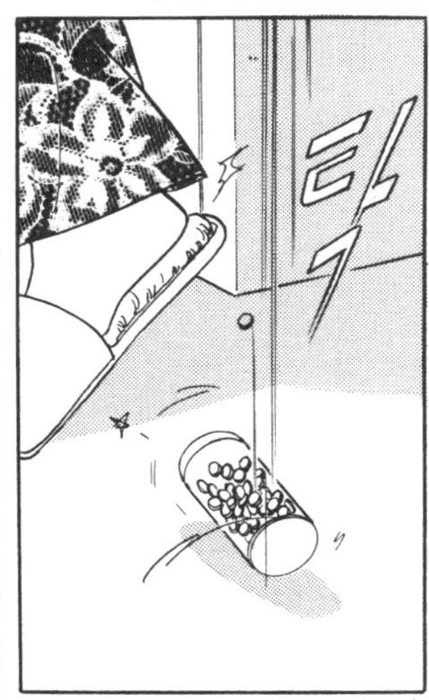

탁

다 치웠다고
하셨잖아요!
승표야….

……!

있으면
손이 가는 건
당연해요.
제가 관리할게요.
심리적인 거야.
그냥 넣어두면
안심이 돼.
……
제가
곁에 있도록 해주세요.
이런 약 따위로
도망치시면
어머니를 지킬 수가
없잖아요.
정말
견디기
힘들 때가
있다.

내게 너보다
강한 약은 없어.
그걸 잠시
잊었구나….

주무세요.

달칵
…….

삐리리리리..
삐리리리

뭐 하는 거야?
거기까지 가서
혼자라니!
괜히 온 것
같아.

너인 줄 알았어.
아직 안 잤어?
여긴 초저녁.
다른 사람들은
야간 스키 타러 갔고.
나 혼자 있어.
베란다 밖으로
스키장 보며 전화 중.
풍경이 제법 근사해.
같이 왔으면
좋았을걸.

정말…,
쉽게 온 게 아닌데.
한심한 기분이 든다.
아직 한 마디도 못했어.
시선조차 빗겨나가는걸.
무심하다는 건 알고 있었지만,
의식적으로도
그렇게는 못할 거야.
날 두고 하는 말인가?

현빈아….
여보세요?
나중에 다시
전화할게.

달칵
…….

흐음…
이거…,
관객이 고문당하는
연극 되는 거 아닌가?
불안한데….

전화하는데
방해가 된 건가?
이런….

안녕하세요.
아~, 오는 소리 잠결에 들었어요. 아는 척하려는데 잠이 들었지 뭐야. 대신 꿈 속에서 했는데….

못 들었을 테니 다시 하지요. Hi, 좋은 밤이군요!

순간 그라고 착각했다….

…….

표정 참 확실하군. 누가 봐도 알겠어. 싫은 사람은 죽어도 못 보는 타입이지? 좋아하는 사람에게는 끝없이 상냥하고…. 물론, 상대에 따라 다르겠지만 말이야.
고의적인 장난이네요.

눈치가 빠르구나. 솔직하고….

…!…
너무 이른감이 없잖아 있지만, 언제고 설정될 수 있는 상황 중 하나였으니 솔직히 말해야겠군.
하윤이한테 관심 있는 거 알고 있어. 예전부터—.

아주 정확히
나보다 먼저
읽고 있었어.

…어떻게?

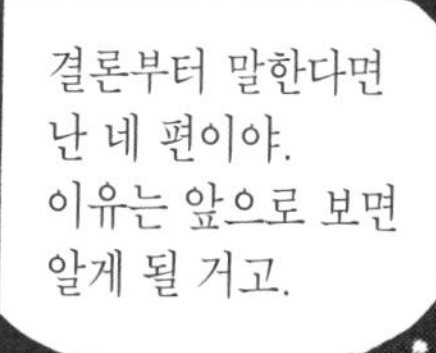

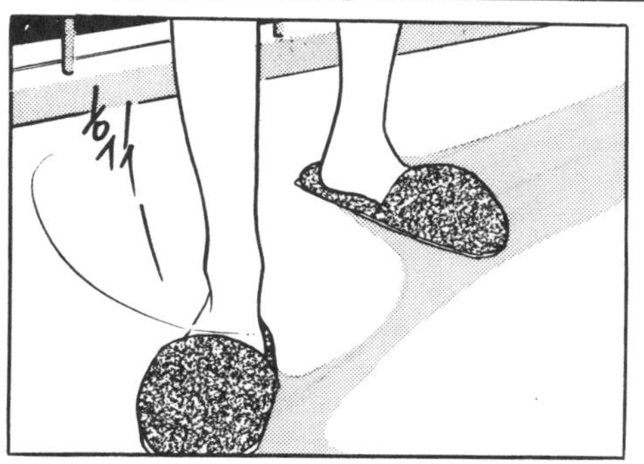

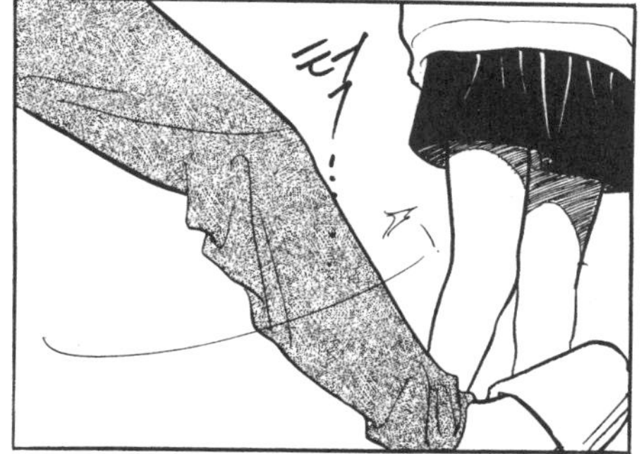

힘들고 싶어서
사랑하는 놈은 못 봤어.
그런 식으로는 곤란해.
대화 없이 지나쳐도
너는 존재감 자체가
피곤하게 거슬리는
타입이라.

지나치군요.
더 이상 불쾌하게
하지 말고
비켜요!
하윤이가 제일
싫어하는 형이지.
어설프게 건드리면
내가 아주
곤란해지니까
신중하라구.

현빈 씨,
무사해요?
이 녀석 잠 깨고
바로는 괴물인데.
아~~니!
저 늑대 녀석!
수상한 포즈를
하고 있잖아!
NORDIC

현빈이
아직 안 잤구나?
피곤하다더니.
이제 자려구요.
야참으로
라면 끓일 건데
같이 먹지?
노는 분위기인데
잠이 오겠어?
아뇨….
먼저 잘게요.

왜…,
이렇게
복잡한 거야!
알아야 할 사람은
당신인데!

난 당신만 알면 되는 거잖아!
태양을 보듯 그저 바라볼 뿐인데….
왜 이리 지나야 할 곳이 많은 거지?
온 세상에 외쳐야 당신을 만날 수 있는 거야?
아무것도 원하는 건 없어!
왜 이렇게 당신에게 끌려가야 하는지-,
그 이유를 알기 위해 가는 것뿐이니까!
날 낭비하게 하는 건
용서 못해!
당신,
대단하지 않으면
가만두지 않겠어!

BLUE

BLUE

거짓으로 널 안을 수 없어

[BLUE OST Vol.1 해준 Theme]

언제나 힘들 때만 너를 찾아갔었지.
더 이상은 안 돼.

더 높은 하늘 위를 날고 싶어.
아직은 멈출 수 없어.
저 하늘을 안기 전엔 자유로울 수 없어.

난 하늘을 날 거야.

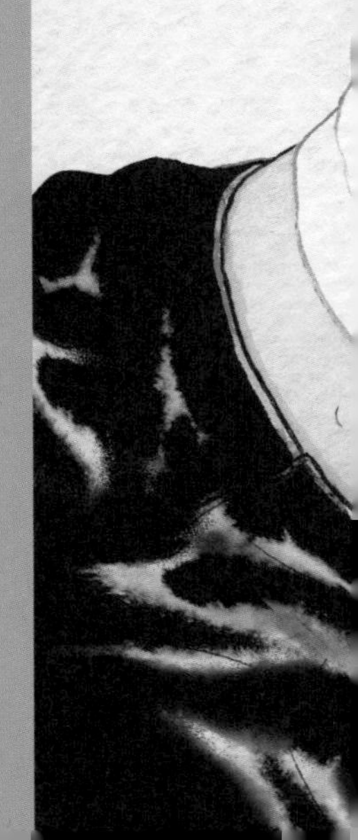

그만 마셔요.
취하겠어.
방해할 거면 집에 가서 전화나 받아. 여친 전화 기다리고 있었잖아.
아까 너의 그 실망스러운 목소리라니! 하하―.

제법이구나. 그 먼 섬까지 날아가 쉬는 새도 다 있고.
헌데, 그런 놈은 지나던 철새 무리에서 잠시 떨어진 것뿐이니 가능한 한 정 들이지 않는 게 좋다.
상처가 나으면 반드시 날아가니까.

보아하니 이미 늦은 게로군. 너도 별수 없구나, 왕자님.
내가 뭐라고 했어. 이 집안은 저주 받았다.

네 의지와는 상관없이 대를 이어 반복하게 될 거야.
사랑하는 여자가 아닌 다른 여자를 아내로 맞아서는… 다시 너 같은 놈을 낳을 거고,
또 그 아들은 결심하겠지? 아버지처럼은 살지 않겠다. 그들 역시 아비처럼 잊으며,
모든 걸 운명이라 하면서. 하하하….

난 약속한 것이 있어.

책임지기로 한
시간이 지나면
모든 걸
끝낼 거야.
요즘
느낌으로는
오래 걸릴 것
같지 않아.

그만
일어나요.
데려다줄 테니
차 Key 주고.
허튼 짓하면
가만두지 않겠다.

보상 관계에 있어
시간과 대상은
일치하지 않을 때가
더 많아.
넌…
내가 지킨다.

현빈이 제법 타네, 이젠?
그 정도면 올라가도 되겠는데요!
아뇨~!!! 아직 자신 없어요! 너무 쓰러져 스키화 벗어 들고 내려오는 것도 힘들구요~.
그래서 언제 리프트 타? 이틀 밤낮 연습이면 충분해! 남들은 첫날부터 꼭대기 올라가 문제구만. 이 아가씨는 겁이 많아 탈이군! 끌고 와!
Yes'sir!
어어~! 나중에요! 제발~!! 선배님! 소라빠니!

멋지지 않아?
소~올솔~♬
내리는 눈까지
분위기 끝내준다!
아래를 보면
섬뜩하지만
불빛에 반사된
눈밭은 정말
환상적이군요.
정말 멋진
기분인데….

준비해!
내릴 때 됐어.
폴대 잘 잡고,
균형 잃지 마!
착지하는 순간,
앞으로 숙이는 거
잊지 말고.
수와앗!!!
드디어~.

의외란 말이야~.
일하는 성격으로 봐서는
거침없이 언덕을
내달릴 것 같은데,
이렇게 귀여운 구석이 있다니!

이건 절벽이야!
내려다 본 것과 올려다 본 것의
차이가 이렇게 크다니!
장난 아니야!

미쳤지….
어쩌자고
올라온 거야?

아직도
그러고 있어?
얼겠다, 현빈아.
겁낼 거 없어.
조금만 내려가면
완만해져요.

용기를 내봐!
자! 이렇게 폭을
최대한 좁게, 긴 대각선으로
내려오면 경사는 문제될 거
없어.
먼저 가세요.
저는 천천히….

그래서야
어디 승부 내겠어?
연습 게임이라
생각하라구.

네 패기만큼만
해봐!
……
엄살이었네?
안 넘어지고
급경사를 거의
내려왔잖아!
Nice!
잘한다,
현빈아!
언덕이
가팔라서
방향 틀 때마다
조마조마해요!
넘어지면
그냥 낭떠러지
행이잖아요!
균형을 잃었을 때는
그냥 옆으로 넘어지라구.
버티다 구르게 되면
허리나 다리를
다치게 되니까.

지금처럼만 하면 돼! 한 바퀴 돌아올 동안 1/3 아래까지 내려와~.
또 봐요, 현빈 씨!
힘들군요. 다들 몇 바퀴 도는 동안 한 번 내려가겠네요.

그래도 조금은 익숙해진 거 같다. 방향을 틀 때 빼고는 제법 미끄러지는 느낌이야.
으아앗! 거기! 비켜주세요! 초보라 멈출 수가 없어요!
어!
아아아ㅡ!

균형을 잃었어!
안 돼!
여긴 급경사야!
속도가
너무 빨라!
무서워!
넘어질 수가
없어!

파
삭

아아아아

침착해! 허리를 숙여! 무릎을 당기고 발을 안쪽으로 모아!
안 돼요! 몸이 말을 듣지 않아! 멈출 수가 없어요!

안 돼요!

투두두두두두

…너
괜찮아?

…….

신현빈….

신현빈….
하아
하아
아우웃!
뜨끈뜨끈
어떻게 된 거지?
스키장에서 넘어져서는
정신을 잃은 건가?
이하윤이 나를….

너무 조용해.
나 혼자인가?
삐이잉이이…
커피 물은
올려놓고….

커피 마시겠어?
아…,
아무도 없는 줄
알았어요.

몸은 괜찮아?
살펴보는 게
좋을 거야.
충격이 꽤
컸으니까.

다쳤어요?!
아…!
스윽
별거 아냐.

첫 클래스부터
지각할래?
그만 일어나지?
이해준!!

준.
…해준.
응….
일어나
보라구.
뉴욕의
첫 아침.
그래…,
여긴 뉴욕이야.
내 꿈의 시작인 곳!

해준아,
뭐 해?
옷 안 갈아입어?

지금
아무도 없어.
그게…,
남자 탈의실….
여기
하나뿐인 것 같던데.
설마 남녀
공용으로?

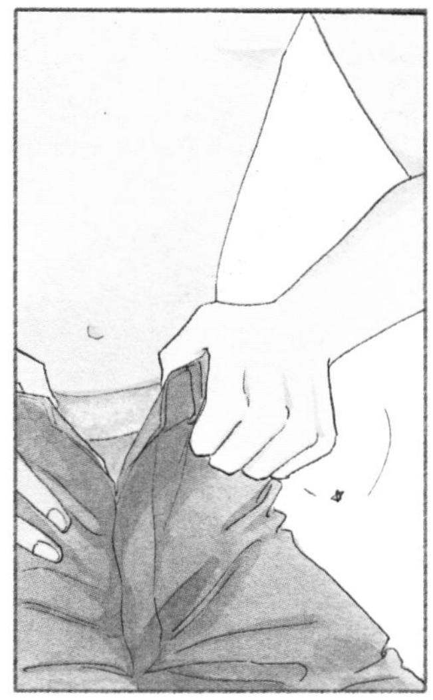

달칵

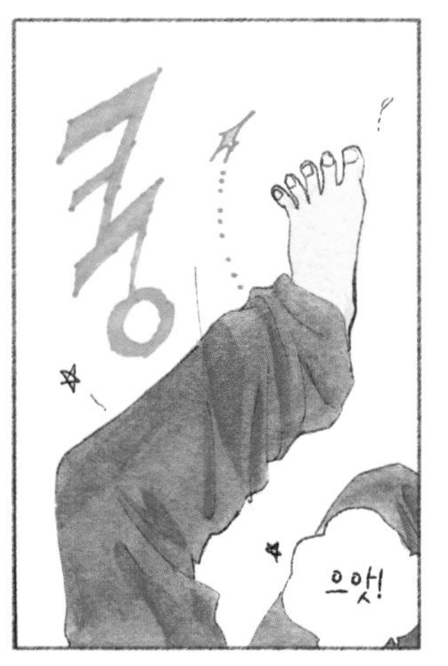
쿵
으앗!

오우…,
저런!
미안합니다.
탈의실을
잠시….

…….

What's problem?
아…, 사적인 겁니다.

Ah hah.
아하.
젠장!

뭐야?
재들 표정 거슬리는데!
동양인 얕잡아 본다더니,
지금 그러는 중이야?
무시해.

호오~.
저 녀석
이야?
제법이잖아!
동양 꼬마….
학과장이 탐내고
있는 데는
그만한 이유가
있지 않겠어?

피트!
장난은 그만둬!
네 코가 깨질지도
모르니까. 그리고
귀여운 동양 인형이
다치는 것도 싫어.
흐음….
어느 정도인지
확인해볼까?

오오~~!
불타는 피트!
셰넌!
확실하게
성냥을
긋는구나.

시비를
걸고 있어,
저게!
가만 있어봐.
춤을 추고
있잖아!

공처럼
튀어 오르는
저 탄력을 봐!
굉장해!
폭발적으로
터지는
스태미나!

정말
불덩이 같아!
호세 리몽
테크닉이야!

능글맞은 피트!
손님 접대가
너무 심한데!
기가 질려서
어디….
어어~.
저 동양 꼬마,
맞설 생각인가
본데?

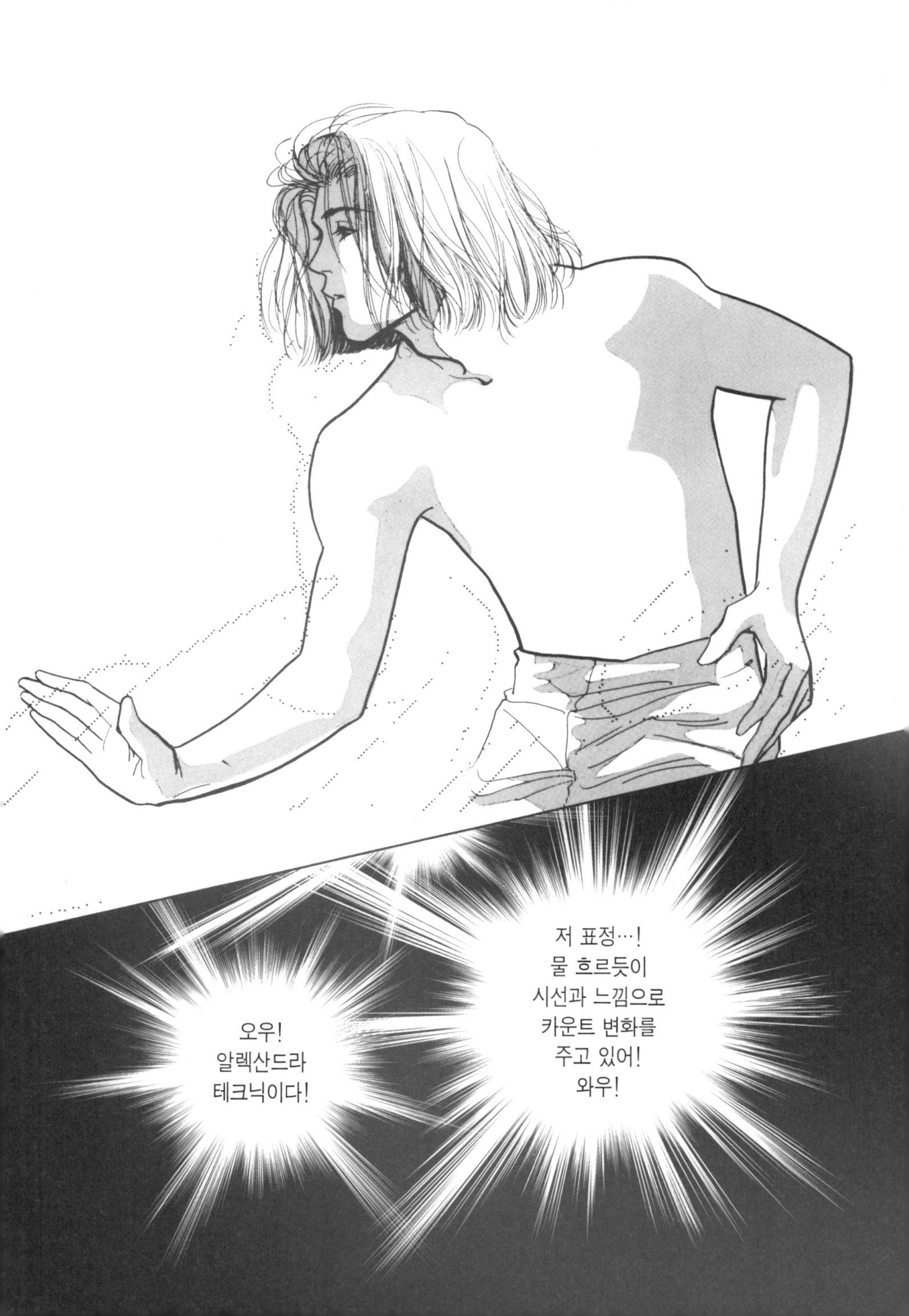
저 표정…!
물 흐르듯이
시선과 느낌으로
카운트 변화를
주고 있어!
와우!
오우!
알렉산드라
테크닉이다!

텀블링, 슬라이딩.
러시 러시의 연결 동작이
호세 리몽의 불에 비하면
느린 듯하지만,
정점에서 터지는
순간 동작은
보다 강력하다!
한수 위야!

폭발을
자제할 수 있다는 건
이미 호세 리몽을
터득했다는 거다.
보통 놈이 아니야!
오히려 피트를
봐준 셈이 되는군.
맞섰다면 과연….

우리끼리
다닌 줄 알면
또 잔소리 들을 텐데,
길을 잃었다고 할까?
안 통하겠지?
다른 사람
걱정되면 돌아가요,
난 패키지 관광처럼
줄줄이
다니고 싶지 않아.
COME VISIT NEW VISITOR INFO CENTER HARRIS THEATREW 42
빠방빠앙
Yo!
New Yoker!
Hi!

뉴욕―.
다른 어떤 도시도 비교할 수 없는
욕망의 도시.
저 오만한 황녀를 품기 위해 달려들어
스러져간 전사들의 수는 헤아릴 수도 없다.
잠들지 않는 저 불빛들은
뉴요커들이 섬광처럼 분출하는
생존 경쟁의 포성이다.

뉴욕—,
넌 나를 기억해야 할 거다.
언젠가 네가 무릎 꿇어 맞이할
새로운 주인이 될 테니.

와우~, 멋지군!!!
유리 그레그로비치!
내가 수업 받고 싶은
안무가 중 한 분인데!
그의 서정성은
최고야!
운 좋게 라만 센터에서
유리 그레그로비치의
클래스를 들은 적이 있어.
와우!
그가
네 춤을 봤다면 분명
이 말을 했을 거야.
'넌 바닥을 못 느껴.'
너를 보고
그때 그에게
들었던 말이
납득이 됐다.
무슨 뜻이지?
그건 네 몫이야.
나 역시
스스로 깨닫기까지
시간이 걸렸는데
쉽게 가르쳐주면
억울하잖아?

링컨 센터 공연 기대하겠어.
동양계에 관심이 지대하니
손님들 많을 거야!
잘하라구.
관심만큼 관대하게
봐줄지도~.

너만큼
시간이 걸리진
않을 거야.

난 네가 깨닫지 못한
부분까지 말해주지!
알려줘도 모를 테니까.

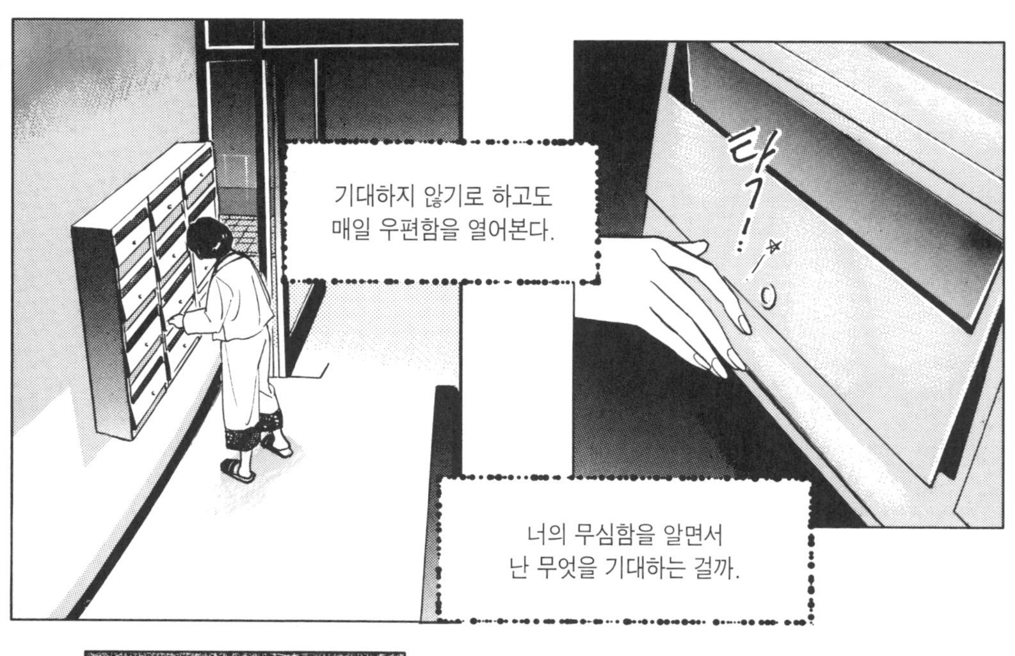
기대하지 않기로 하고도
매일 우편함을 열어본다.
탁…!
너의 무심함을 알면서
난 무엇을 기대하는 걸까.

보고 싶다….
너의 소식 하나라도
듣고 싶어.

해준아….
한 번의 전화도
할 틈이 없는 거니?
짧은 엽서 한 장도
힘이 들어?

좋은 아침
좋은 선물
네덜란드 생명

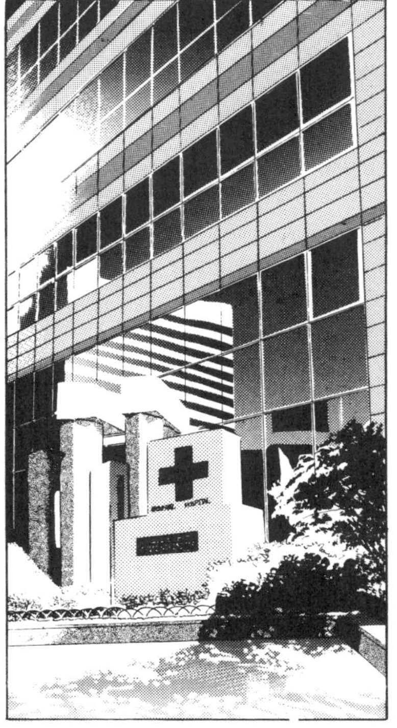

15 2
16 7
17 7
탁
탁
탁
탁

어머니는요!
어떻게 된 겁니까?!
하아
아, 왔군요.
위세척을 해서
고비는 일단
넘겼답니다.

우나현 씨
보호자
오셨습니까?
예,
제가….

다른 어른은
안 계십니까?
제게 말씀
하시면 됩니다.
Drug라고
하셨습니까?
오늘 드신 약은
문제가 아닙니다.
이미 약물중독
상태입니다.

어머니!
입원하셔야 합니다. 전문기관의 치료와 엄격한 통제 없이는 못 끊습니다.
과정이 반복되면 더욱 악화될 뿐이죠. 지금보다 더.
통원 치료는 전혀 불가능할까요? 동의 안 하실 겁니다, 절대로.
보호자의 24시간 감시도 어렵지만, 무엇보다 환자의 자제력이 한계를 넘어섰습니다.
스스로는 제어하지 못합니다. 마음과 몸이 분리된 상태라고 보시면 됩니다.
언제부터였는지 알 수 있습니까?

멀쩡하네, 뭐 !
전신이
타박상이야.
아직도 뻐근해.

하윤 오빠한테
시집가야겠다!
너~ 목숨 구해
줬으니까!
동화책에
나오잖아.
생명의 은인이랑
결혼하는….
하하
게다가
그 예쁜 얼굴에
상처까지 냈다며?
값 떨어뜨렸는데
네가 거둬야지!
어떡하냐~.
뭐?

퍽
왜?
어때서!
하하

혹시 은경이 연락돼? 기숙사에는 없을 거고.
카페 알바 하잖아. 거기 있을걸? 갑자기 왜?

승표 또 사라졌어. 전화도 없고 받지도 않아. 스키장 가기 전에 보고 끝이야.

할 얘기도 많고 보고 싶은데 연락이 돼야 말이지.
숨바꼭질에 취미 붙였나?
따르르 르르르...

여보세요?
은경이니? 양반은 못 되시는구만!
나 좀 바꿔줘.

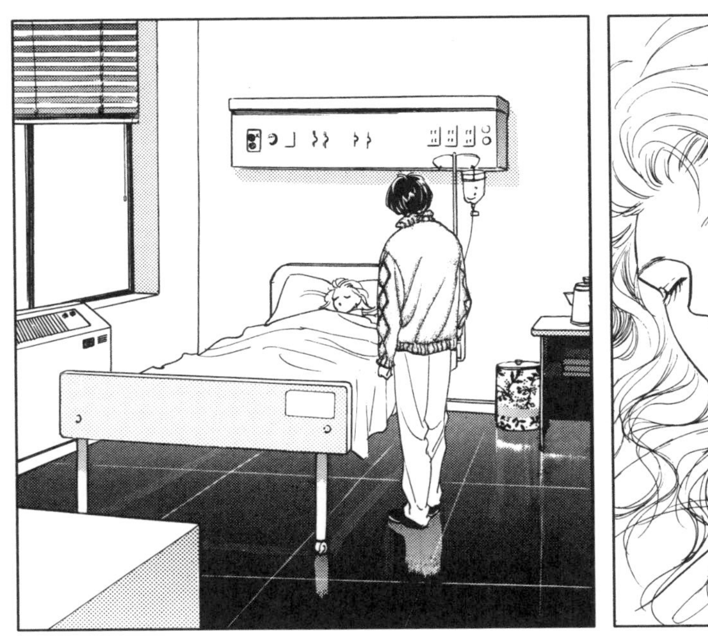

Drug는 기간이
문제가 아니라
지속성입니다.

어머니….

어머니
괜찮으셔?

언제 끝날지 몰라.
영민이 예민해져
있어서.
그럼…,
집으로
올래요?
오늘
믹스다운 끝나죠?
이따 태양방송
시 생방 끝나면 10시….
시간 맞으면
한잔 할래요?
이따 봐요.
늦게 되면 전화할게.

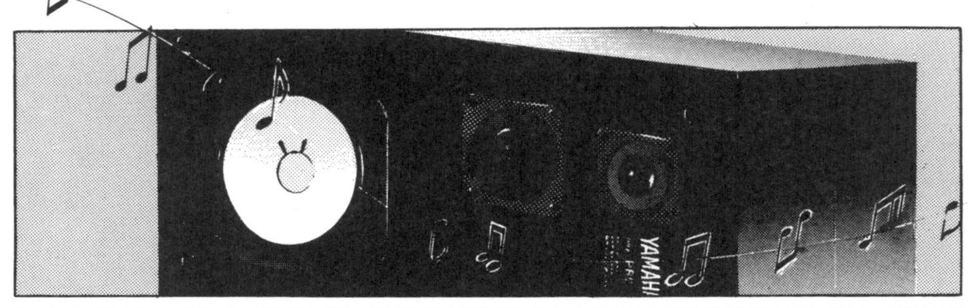

E.Q를 좀 더
High로 가고
Low를 죽이는 게
나아.
리버브가 너무 많이
들어갔잖아.
다시 앞으로 돌려!

베이스 애드리브가
너무 튀어.
보컬이 묻힐 정도야.

어떤 이펙트로도
커버 못해!
난 처음부터
마음에 들지 않았어!

내 의도가 아니었어!
네 고집대로
녹음한 거잖아!
고음 꺾는 부분이
듣기 부담스러워.
여전히 거슬려!
하고 싶은
말이 뭐야?

목소리가 아니라
내가 거슬린다는
소리 같은데.
이건 내가 만든 거야.
충분히 내 의도대로 할
자격이 있는 거 아냐?

이 부분
다시 찍어.
…….

포장지 Art
신경 쓸 때가
아니라고!
탁
너의 문제가
뭔 줄 알아?
네가 듣고 싶은 말만
듣는다는 거야.
사람이든, 일이든,
사랑이든!
…….
탁
젠장!
이것이 한계라면
여기에서
끝내야 해….

현빈 씨!
BLUEST
계속 BLUE Art 한다면서요? 신난다!
사진 분해 나오면 한 장 줘야 해요, 꼭!

재하 오빠는 좀 늦는다니 녹음실 구경하고 계세요. 이따 사무실에 오실 거죠?
예! 나중에 봬요.

♪
탁
탁
탁
탁…….

Salut!

J'ai envie de ton aide.
네 도움이 필요해.

BLUE

용서하지 마

[BLUE OST Vol.1 현빈 Theme]

너를 위한 시간이었어.
그건 믿어줘야 해.

그날 밤 걱정스런 네 전화.
참았던 눈물이 났어.

이제 그만 날 안아줘,
네게 머물 수 있게.
사랑할 자신 없다면 날 기대하지 마.

오늘은 성적이
좋으신데요.
전부 다 드시고.
필요하신 거
있으면
말씀하세요.
…….
뚜뚜뚜…

형….

몸은 좀
괜찮으세요?
나가보렴, 승표야.
이 약 먹으면
죽은 듯이 자니까.

주무시는 거
보구요.

네 시간을 가져.
친구들 전화 하게
말고 가서 만나.

나갔다 와.
대신 있을
테니까.

블라인드 좀
내려주겠어?

촤륵!
마실 것
냉장고에 있어.
마음에 드는 게
없으면 매점….

신경 쓰지 말고
주무십시오.
알아서
하겠습니다.

다녀와.

승표한테
가봐야 하는 거 아냐?
힘들 때는 친구들이
위로가 되는 거야.
얼굴 마주하는 것으로도.
승표는
집안 일에 대해선 터부시해.
보이길 원치 않는 곳은
피해주는 거야.

현빈이는
다녀왔다던데….
어디나
예외는 있지.
스페셜 몰라?
스페셜!

은경아.
젠장!
너무 많이 알아도
문제라구!
배려하는 게
무심함으로
전락했으니까.
나쁜 자식!
쾅!

……
유호 형! 여기 맥주
두 병 더 줘요!

뭐, 술?
놀아달라
알바 쓴 줄 아냐?
자~알 논다!
다 일이야!
파리 날리지 않게
손님 대신 분위기
잡잖아, 분위기~!!
왜 쫀쫀하게 구냐?
하여튼
남자들이란!!
왜 내면을 못 읽어?
EQ가 딸려! 젠장!

왜 이런대냐?
낮에 먹은
햄버거가
잘못된 거냐?
지끈
몰러~.

어서 오세요….
안녕하세요.
이런,
또 객식구
로구만.

나갈까요?

신현빈!
왜 이리
썰렁하냐?
어휴…,
장난이여.
여자들
왜 이려?
…….

뭐야?
일이 잘 안 됐어?
포스터 마음에
안 든대?
준모 형,
그냥 잠시
놔둬줄래?

…….

난 청소하는
척이라도
해야겠다.
현빈이는 커피?
고마워.
…….
흠,

‥, 맥주
마시냐?
분위기 파악
못하시네~!!
손님 오는 소리
안 들려요?
Hi-
어··

보고 싶어서 왔어.
연락 못해서 미안해.
너
웬일이야?
하여튼
너란 녀석은….
걱정
많이했지,
너….
후
와~, 이거!
시간 잘 잡은 것 같은데요.
보고 싶은 사람들은 다 모여 있네!
승표야!
어떻게 된 놈이야, 너!

응….
깨시기 전에
들어갈게.
고마워, 형.
COFFEE HOUSE
ONCE IN A
BLUE MOON

지금
들어가려구?
저녁 먹고 들어가.
이대로 들어가면
또 굶을게 뻔해, 너.

승진 형이랑
같이
먹을 거니까
걱정 마.
내가 해줄 수
있는 건
아무것도 없구나.

너 힘든 거
보면서도
어떻게 해야 할지
모르겠어.
무력해.

이렇게 기댈 수
있는 것으로
충분한걸.
승표야….

후….
파시시
힘 내~!
끼니 좀
거르지 말고.
연우야!
아!

이곳에서
영민이 곡 이외에
내가 부를 수 있는
노래는 없다.
그도 나 이외에
노래해줄 이를
찾지 못했지.

서로 다른
공감지대를
찾기 전까지
헤어질 수 없어.
음악의
본질을 벗어나
연애 감정의
마찰 따위로
깨질 수는 없다.
제주 2

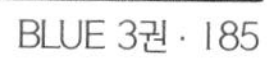

모두 민감해진
탓일 거예요.
너무 걱정 마세요.
서로 신경 쓰고
있을 테니.
근본적인 문제를
해결하지 않으면
길어질 거야.
사적인 문제의
예민한 부분을
건드려서라도
풀어야지.
영민이, 스키장
이후로 심각해.
아자!
어떻게
도와드리죠?
아미 언니랑
송 차장님과
위로 공연
짤까요?
…….
너 때문인 것 같아.

나 때문이란 건
무슨 뜻이지?
네가 해답의
Key를 갖고
있을 거라는
생각을 했어.

……
두 사람,
혹시 그런…
사이예요?

그 사람…,
전부 말해버렸어?
다 알고 있단 거야?
그 녀석
표현주의는
역설적이야.
마음에 들수록
더욱.

영민이도 말하지 않는 두 사람의 관계를 듣자는 게 아니야. 그건 둘만의 문제니까.
말 돌리지 않아도 알아들어요. 어떤 식으로 들었는지 모르지만 언제고 한 번은 분명히 할 생각이었어.
난 단지 그에게 신경 써주길 부탁하는 거야.
이건 코미디야 이 사람, 아무것도 모르고 있어!
철저히 무시한 거야. 나에 대해 조금도 신경 쓰지 않았어.
좀 의외이긴 한데. 특히 너….
신현빈…, 넌 완전히 그의 생각 밖에 있는 거야. 그래도 계속 갈 수 있어?

영민 씨에
관한 거라면
상대가 틀렸어요.
아미 언니 쪽에
알아볼 일이죠.
Ferrari

기다려.
거절은
짧을수록 좋아요.
지루한 건
질색이거든요,
전.
아무튼 됐어요,
끝났으니까.

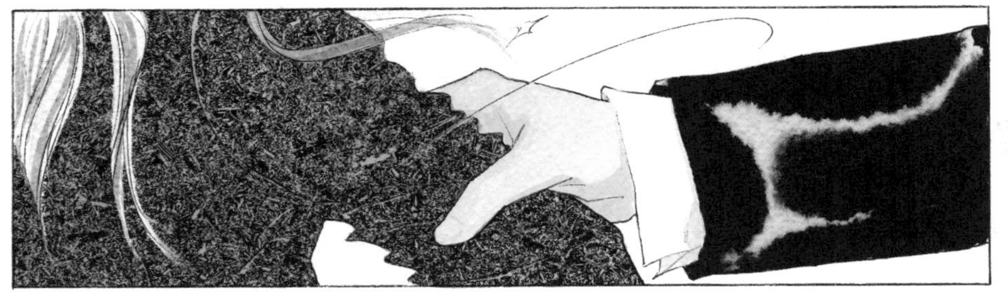

두 번은 싫어요!
당신 방법이 마음에 안 들어요!
아직도 접수가 안 됐어요?
이 순간부터 당신을
잊겠다는 말이에요!

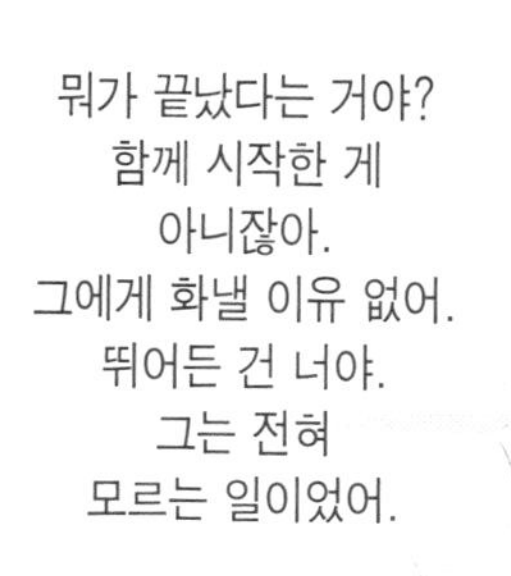
뭐가 끝났다는 거야?
함께 시작한 게
아니잖아.
그에게 화낼 이유 없어.
뛰어든 건 너야.
그는 전혀
모르는 일이었어.

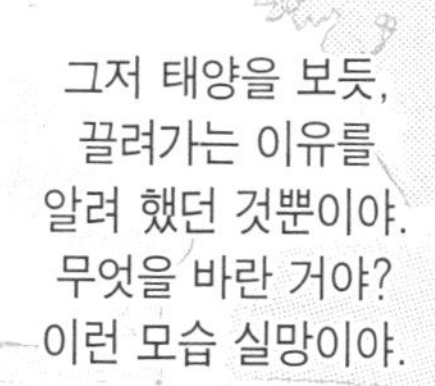
그저 태양을 보듯,
끌려가는 이유를
알려 했던 것뿐이야.
무엇을 바란 거야?
이런 모습 실망이야.

미열이
있는데….
몸살 걸린 거
아냐?
아니….

마음이
아픈 건가?

…….

어? 얘네 안 들어왔냐?
입구에서
연우랑 승표 봤는데…,
둘만 딴 데 갔나?
연우 왔어?
…….

그냥 가면
서운하잖아.
차 한잔만
같이 하고 나오자.
나도 곧 병원
들어가야 해.
얼굴
봤으니 됐어.
약속하고 온 것도
아닌데 뭐.

병원에
전화해서 알았어.
친구 만나러 갔다기에
와본 거야. 다행이야.
잘 있는 것 같아 보여.
연우야.

갈게!

들어가봐.
현빈 씨 기다리겠다.
화났구나?

…….

알아.
조금 전에
현빈이하고….
무슨 소리야?

안 돼! 승표야.
읽지 마….
소리 내어 말해버리면
날 용서할 수 없을 거야!

……….
미안해.

갈게.

연우야…,
날 묶어버린 건 너야.
건널 수 없게 하고는
어째서.

미안해, 승표야.
어떻게 널 마주하겠니.
힘든 네게 해준이 대신
위로 받으려 했어.
그리고
현빈 씨를 질투하고.
왜 그런 기분이 들었는지는
설명할 수가 없어.
마치 나의 소유를 뺏긴 듯한
기분이라니.
네게 이런 식으로 돌려줘서는
안 되는 거잖아.
용서해.
나의 이기심을 용서해.

똑 똑…
딸칵

승표는….
예, 잠시
외출을.

승진이 잠시
나가 있거라.

찰칵

형! 왜
나와 있어요?

어머니
별다른 일
없었지?
…….

큰아버님
와 계시다.

승표야!

미안하오.
자격을 잃은 지
이미 오래 됐다는 걸
알아요.

하지만…
당신이
뭐라 비난하든
걱정이 돼서….
허락 받을 안주인
돌아가시니
이제야 용기가
생기던가요?
그래, 약속한 안방
치워놓았어요?

이게 당신이
책임지겠다던
미래인가요?
…….

달콤한 속삭임에
유혹될 나이는 지났어요.
당신 발자국 소리에
가슴 설레던 열아홉이
아니라구요.

나현!

손대지 마!

이건 내가 꿈꾸던 사랑 아니야.
알잖아, 당신….
우리가 믿던 진실은 순수했어.
짧았지만…,
섬광보다 짧았지만—.
당신의 배신 난 인정 안 해.
가장 힘들 때 곁에 없는,
가장 필요할 때 도망치는
그런 사람…
난 사랑하지 않았어.
그건 당신이 아니야!
내 사람은 죽었어!

나가요!
다신 오지 마….

탁
아버지.
……….

어머니!
떠나자.
아무도 없는
곳으로
가는 거야.
너만 있으면
돼….

끝이 있다는 건 거짓이다.
그놈은
시작의 발목을 놓지 않는다.
결코…
마침은 오지 않을 거다.

현빈이와 같이
있었어요?
CAMUS
NAPOLEON
눈이 많아요.
K-TV 황 기자가
또 왔었어.
Art를
단 둘이서 만드냐고,
물러서지 않더라구요.
물론 처리했죠.
…….
Chabot

내 추측이었어.
영민 씨와
나…,
현빈이가
그래요?

…….

태도를
명확히 하는 게
그 아이 혼란을
줄여줄 거예요.

내게
악역 맡기지 말아요.
하윤 씨보다 훨씬
현빈이 아끼니까.
…….
고백도 전에
다른 사랑 하라는
소리 먼저 들었으니
아플 거예요.
전혀 몰랐으니
책임 없다
할 건가요?

아미.
똑같은 내가
생기는 일은
없길 바라.

유치해!
어린애 짓이야!
BLUE FAMILY
LEE HA YOON

한심해!
지금 뭘 하는 거야.

여보세요.
....
인정해.
이미 늦었어.
하윤이야.
불쾌하게 한 거
미안해.
전혀 생각지 못한
부분이었어.

멈추지 못할 거야.
균형 잃은 스키처럼
그가 잡아주지
않는 한….
표현 방법의 차이로
전달되지 않았을지 모르지만
난 너의 감각이 좋았어.
믿는 사람 중 하나였고.
일에 있어서만큼은
변함 없는 팀이길
바라지만,
네게 혼란함이 된다면—
잊어.

내겐
애증병존인 대상이 있어.
아마도
내가 살아 있는 동안
구원 받기는 힘들 거야.
어떤 사람과도.

남자 친구?
하! 웃기는 소리
말라구 해!
애인 생기면
찬밥이라구, 젠장!
의리 좋아하시네!
승표가
뭘 어쨌다는 거야?
네 생각을 얼마나
하는데.
형이 뭘 알아?
그 자식은 내가
찍었었다구.
잘 키워서….
…….
젠장!
큭

실연이구나?
그래…. 의미는 다르지만 일종의 실연이지.
소주
오뎅야
어쩌다 이 지경이 된 거야?
남은경 사전에 남자와의 관계는 애인 이하라고 못 박아놓고선.
퍽
준모 형도 똑같구나! 한 가지로만 결론 짓는 거냐?
우리는 다르단 말이야!
우정을 방패로 사랑 훔치는 족속들과는 차원이 다르다고.
은경아!
이 녀석….
Z… Z… Z…

뭐야…, 짜식!
랑 어쩌고 하더니
순 허풍이었구나?
대유
카인테리어
본건물에있음
준모 형…,
친구랑 이 정도면
진짜 애인은
어느 정도인 거야?
궁금하던 참인데,
실험 삼아 우리
계약 애인 할까?
찌이익
아~
준모 형은 안 돼!
왜냐? 진지하지가
않으니까!
난 장난하는 건 싫어.
그런 건 실험 대상이
될 수 없는 거라구!

승표 잡아다줄까?
솔직히 말해봐.
이 오빠가 도와줄 테니.
New City
NR
그 애는
내 형제야,
준모 형….
갈 수 없는
곳이라구.
그리고 그 애는
너무 슬퍼서
가까이 갈
자신도 없어,
난….
…….
너 지금
우는 거야?
준모 형, 오늘 일
다 잊지 않으면
나 죽을 거다.
응….

친구!
그럼 잘 가게.
멋진 공연이었어.

여러 가지로
고마웠어.
언제 서울에 오면
빚을 갚도록 하지.
으음~, 좋아.
기대되는데!

동양인들이 춤을
춘다는 자체가
쇼크였단 말이지.
서양 관점에선 판타지,
검은 눈동자의
신비 같은 거야.

너의 꿈은
그보다 높은 곳에
있다고 봤는데,
틀렸나?

카피에 그치면
제2의 누구라도
그림자밖에
더 되겠어?

The Second NIZINSKY The Little Giant From Korea.

He is a scintillating dancer. His skill lucid and gallant and refined.

녀석은 훤히
꿰뚫고 있었어.
야…,
이해준.

스스로도
가장 밑바닥에 숨겨두고
몰랐던 것일지도 모른다.
그가 전부를 보여준 게 아니었다.
얼마나 멍청한 짓을 한 거지,
난….

BLUE 만나는 게
미국 대통령 만나는 것보다
힘드네요!
옛날이 좋았다고!
2집, 얼마나
대단한지 기대하겠어!
별거 없이 튕긴 거면
가만 안 둬, 진짜!
왜 그러세요,
무섭게!
우린 송 차장님밖에
없다는 거
아시면서~.
화내면
무서워잉~.
흐응~.
자기들 필요할 때만
아쉬운 소리~.
아…, 옛날이 좋았다고!

얼마나 대단한 걸
찍으려고 유럽까지
날아가는 거야?
일급 비밀입니다.
곧 알게
되실 텐데요, 뭐.
그것도 제일 먼저.

당연하지!
이번에도 빼돌리면
불 지르려 했다구.

하윤이는?
출발한다고
연락 왔어요.
일이
있나 봐요.

그 친구는
왜 그리
일이 많아.
연애하나?
모르죠,
뭐.

우~~! 대이동이구만!
카메라, 코디 팀까지!
안녕들 하세요!
아, 오셨군요.

하윤이 올 때까지
한판 돌릴까요?
송 차장님!

그럴까?
영민!
넌 안 해?
아아….

신경 쓰이게
안 했으면 좋겠어.
돌려 듣는 말이어도
별로 유쾌하지 않아.
할 말 있으면
바로 해줘.
조금 빗나간 건
인정하지.

난 당신
상대가 아냐.
…….

너도 하윤이
상대는 아냐.
…….

탁
뭐 하는 거야!

그렇게 몸 사릴 것 없어. 너한테 손 하나 댈 생각 없으니까.

내 의지가 기본 조건 이겠지만.
적어도 날 원치 않는 여자랑은 안 해, 나는.

…….

BLUE

거짓으로 널 안을 수 없어

[BLUE OST Vol.1 해준 Theme]

이젠 너를 보낼게.
그만 날 놓아줘.
미안해, 내 잘못이야.
그토록 힘겨운 너를 느끼면서도
어쩔 수 없었어.
거짓으로 널 안을 수 없잖아.

널 잃고 싶진 않아.
지키고 싶었어.
소중한 친구였던 너이기에.

당장 승표
데려오라니까!

내가 당한 걸
다 잊었단 말이냐!
두고두고 그 한을
깨우쳐주려는 게야
어째서 저놈을
곁에 두는 게야?!
네 아비가 했던 일로
내 아직도 모욕을 느껴야
한단 말이야?!
어머님!

내 저놈까지는 눈감아주겠어.
내 앞에만 보이지 않는다면.
하지만 그 여우만은 안 돼!
차라리 내게 비수를 꽂아!

그 독한 것이
아직도 욕심을 내다니!
내 눈에 흙이 들어가도
절대 안 돼!
애비 넌
그 몹쓸 놈의
정이 너무 많아
탈이야.
제발….
진정하고 앉으세요,
어머니!
내가 듣고 싶은 말은
하나뿐이야, 아범!
그 여우와
다신 상종 안 한다 답하게.

승표
데려와야 해!
그게 어떻게 얻은
자식 놈인데—.
그년이 다
말아먹을 심산인 게야!
에미랍시고 여린 아들 꼬드겨
이 집안 평지풍파
일으키려고!
낳았다고
다~ 에미인가?
그 핏덩이 누가
길렀는데!

다 지난 일 아닌가.
그러니 그냥
흘려버리세.
내 지분을 다 떼어
줘도 좋으니.
그 사람은 아무것도
요구하지 않았어요.
처음부터 돈을 바라던 게
아니었다는 걸
아시잖아요!

제가 먼저
견딜 수가 없어서
찾아갔던 거예요.
이제라도 보상
받아야 하잖아요.
다 내 잘못이야!
여우를 쫓고자
범을 불러들인 셈이니.
그래….
내 손으로
그것을
없애야겠지!

허튼 소리로
듣지 마.
살날 얼마 남지 않아
두려운 거 없으니까!
어머니!

아하하하..
하하하.
너무해요!
노크-
똑!
똑!
뭐가 그렇게
재미있어요,
두 분?
좋은데요.
얼마 만에 듣는
웃음인지
아세요?
이분이 날
놀리시는구나.
놀리다니요.
누가 이런 아들이
있다고 믿겠어요.
애인이라 해도
그런 줄 알 거야.

너무 예뻐!
정말이지
이런 아들 없어요!
좋으시겠어요!
애인 맞아요!

이번엔
나를 놀리는
건가요?
고맙습니다.
어머니를 편하게 해주셔서.
병원에서는 많이 힘들어 하셨는데
좋으신 분을 만나
기뻐요.

응.
저녁 전에
들어올게요.

KIMPO INTERNATIONAL AIRPORT
3시 50분 LA행
United Airline
36번 게이트로
들어가주시기 바랍니다.
The passengers
of the United Airline
who will start for
L.A. at 3h, 50, enter
the gate 36, please.
AIR
Asiana
여름 특강 때도
뵙고 싶습니다.
교수님.

안 오시면
스위스로 날아갈 겁니다.
그때는
재워주셔야 해요.
후후….
물론이지.
PARTURE

이렇게
나와준 거
고마워요.
그런 말씀
마세요.

이 아이를 보면
지난 시간이
후회된다.

왓! BLUE다!
이하윤이야!
정말!!
국제선 출발

날 더 이상 속이려 하지 마.
언제까지
그대의 서툰 표현을
헤아리지 못한 거라 말하며
짐을 지우려는 거야.
나 이제 그대를 믿지 않아.
마음뿐인 사랑은
진실이라 할 수 없어.
사랑은 표현이 필요한 거야.
심술궂은 자존심으로 가로막힌
그대의 사랑.
이젠 너무 늦었어. 너무 늦었어.
나 결코 다시 그대에게
돌아가지 않아.
—BLUE 2집
「愛僧竝存」 中에서—

아무 말도 할 수 없는
어머니가 가여워요.
평생 먼저 안아주거나
하진 못하실 겁니다.
이젠 제가 기회를 드리지
않을 테니까요.
하윤….

이 손 치워.

야, 이하윤!
아줌마들한테까지
대단한 인기구나!
꽤 중증인가 봐,
저분….

뭐야…,
자식!
썰렁하게.
바보같이
뭘 기대한 거야.
아직도 기적을
바라고 있나,
넌….

교수님!
아….

…….

그 사람 얘긴
듣고 싶지 않아!
그분…,
점잖게 하진 않으실 겁니다.
정신적으로 못 견디실 만큼.
큰아버님과의 말씀을 우연히
듣게 되었는데….
이제 와서
뭘 하시려는지
모르겠지만
내가 피할 이유는
없으니까.
걱정되는 것은
어머니입니다.
어머니라고
내게….
제가
지금만큼 컸더라면
저희 할머니를 지킬 수
있었을 겁니다.

밖에서
기다리겠습니다.
짐을 싸실 필요는 없습니다.
다 준비돼 있으니까.
승표는 걱정 마세요.
그곳을 잘 알아요.
메모를 간단히
남겨놓고 가면….

…저,
손님이 오셨는데요.
누구시냐고 하니까
무조건 문을 열라고
고함을 치시네요.
무척 사나운
할머니세요.

딸그락
나오시지
않는 게
좋습니다.

네놈의 간덩이가
부풀대로 부푼 게로구나.
어디다 감히 얼굴을
들이미는 게야!
주제넘게 어딜
나서는 게냐!
비키지 못해?
절대 마주치지
않게 하시라는
큰아버님의
분부십니다.

근본이 천한 것들은
최고 교육을 받고서도
예절을 모르는 게냐?
어른에게 주둥이를 함부로
놀리라고 배웠더냐!
....
이 요부년!
남자라면 가리지 않고
후리는 게로구나!
못돼 먹게
사람을 앞세워
능멸하려 들어?
썩 나오지 못해!
들어오십시오.

이곳에
발을 들인 것으로
충분히 치욕적이다.
네년과 말로 통할 거였다면
여기까지 오지도
않았어!
스윽
팍

파라라라락

마지막인 줄 알아.
또 다시 눈에 띄면
죽여버릴 테다!!!

원, 세상에!
어떻게 이런 짓을!
아이 대신 돈을 놓고 가다니!
안 돼!
우리 아기
데려가지 마!

내 아기야!
내 아기야!

이따위
더러운 돈은
한 번으로
족해!

다시 가져가지
않으면 정말
당신 아들을
빼앗겠어!
파
악!
이제야 감춘 꼬리를
보이는구나, 여우년!

저 역시 두려울 게
없는 놈입니다.
마지막 예의를 지키게
해주십시오.
우웅우욱
우우우웁..

미친 게로구나,
네놈이!
부르르
들어가세요.

두 번 다시 손 대지
못하게 할 겁니다.
이것으로 끝이니까.

—놈들!

이게 얼마 만에 먹어본 김치! 불고기입니까!
역시 한국이 최고야! 이제야 제 컨디션이 되는군!
자! 이제 2차를 가실까요? 다음 코스는 저희가 모시겠습니다, 교수님!
역시 청춘의 끓는 피들은 다르군! 따라갔다간 죽을지도~. 대접 받은 셈 쳐줄 테니 난 빼줘.
아쉽지만 무리하시면 무용계 대손실 사태가 올 테니 저희가 물러서겠습니다.
안녕히 들어가 쉬십시오, 교수님!
감사합니다! 고생 많으셨습니다.
처음부터 같이 갈 생각 없었지? 괘씸한!
내일부터 특훈이닷!
으아아~~! 그것만은!

저 먼저 가요!
적당히들 하고
들어가세요.
모두.
해준아!
네가 빠지면
어떡해, 인마!
어어….
야! 이해준!

bye-
PAZZO
저 녀석….

COME TO SOON‥
BLUE

INKEL YAMAHA
COME TO SOON‥
BLUE
PAZZO
INKEL

BANG!

내게 기회를 주지 마. 더 나쁜 짓을 하게 될지도 몰라.

탁
탁
탁
탁
탁

하아…
해준아!

야아…,
공주님~.
PSD

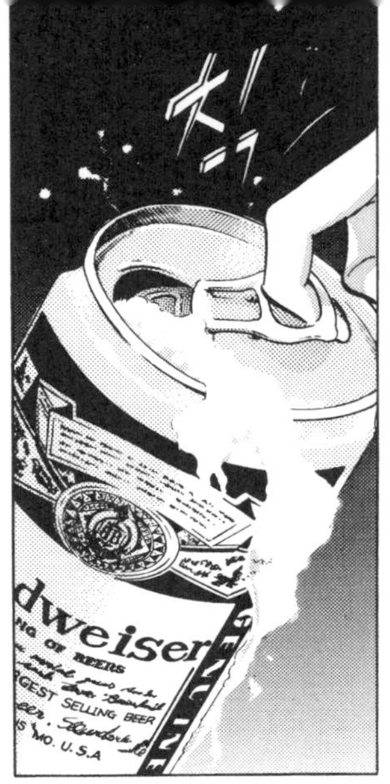

세상은 넓어.
온통 잘난 놈들
뿐이지.

하지만 모두
이해준 발밑이야!
채연우, 넌 알지?
난 승리한다.
쨍

믿어.
넌 해낼 거야.

…….

마지막 인사를 하러 왔어.

탁

…….
네가 원하는 대로 못할 거야. 난… 힘들 때만 너를 찾아오게 돼.

침묵으로 기다려 달라고 할 수는 없어. 다시 오기까지 수없이 많은 배신을 할 거야.
널 기다리게 하면서 얼마나 잔인하게 굴까.
탁…!
지금이 기회야. 도망쳐, 연우야.
난 알아…, 비(飛)….

네 눈물에…
가끔은 참을 수 없을 만큼
키스를 하고 싶을 때도
있어.
얼굴에, 목에,
그리고
입술에….

하지만 그럴 수는 없어.
믿지 않겠지만
널 잃지 않기 위해서다.

연우야….

너의 정원은
하늘.
너는 그 위를
나는 새.
자유롭게
날아야 한다.
내 영혼의 순수한
자유 의지대로
스스로 네게
묶여 있을 뿐이야.

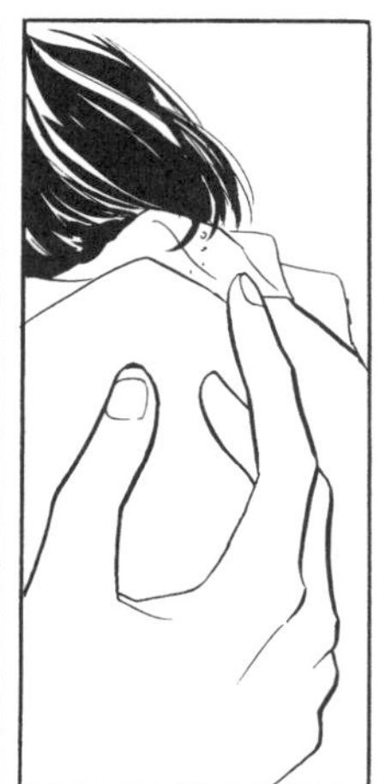

네겐 아무것도
부끄럽지 않아.

진정해, 승표야!
지금 달려간다고
해결되는 일 없어.
뭐든 때가 있는 거야.
일단 기다려.
왜! 뭘 더 기다려?
서면까지 작성해 약속한 거잖아!
형도 증인이잖아!
모두 다 같이 약속해준 거잖아!
손대지 않는다고!!!

대체 언제까지
장난을 치려는 거야?
더 이상 다칠 것도
없잖아.

팟

어째서
그냥 두질
않아….

그만둬!
비켜!
콱

더럽구나, 홍승진! 그렇게 싫은데 무릎을 꿇어?
아직도 착각에 빠져 있는 모양인데, 네 왕자 역은 곧 끝나! 그나마 유지하려거든 얌전히 굴어!
꺄아아아—!
쨍그랑

어머니!

멋지긴 한데 한 가지 불만이 있어!
어째서 하윤 오빠 얼굴만 쓰는 거야?
그건 내 권한 밖. 난 자료 중에서 선택할 뿐이고.

농담이야, 농담! 계집애…. 뻣뻣하게 받기는.
후훗, 알았어! 다음엔 상근 형 좀 키우지 뭐!
…….

괜찮아?
왜…, 또 뭐가 마음에 안 들어?

…….

괜찮아.
정말 괜찮겠어? 일로 만난다지만 얼굴 마주하는 건데. 감정이라는 게 하루 아침에….

하필이면 오늘이냐? 알바 첫날이란 말이야.
정말 같이 안 갈래?

가야겠어.
내 머리로는 복잡하다. 어쨌거나 하윤 오빠랑 넌 유별나! 알아?

꼭 전해주지.
그나저나
이 주소만 갖고
제대로 찾아갈 수
있을까?
승표한테
안부나 전해줘.
그리고 제발 잠수 좀
그만 타라 그래.
보고 싶다고~!!

저, 죄송합니다만
약수터 뒷길이
어느 골목입니까?
은행로 주택단지가
있다던데요.
저도
이 동네는
처음 온 거라서.

웬 초행들이
이리 많아.
아무래도
근처 복덕방을
찾는 게
빠르겠군.
후

그보다
더 빠른 방법이
있을 것도
같은데.

승표를
찾아가는
거라면.
이해준!

삐리리리리

삐리리리리
어딜 간 거야? 여행이라도 간 건가?
그래도 이 큰 집에 한 사람도 없단 말인가? 전화도 불통이야.

삐리리

이 집에는 거의
승표 혼자야.
이런 오후
시간 이후엔.

…….

승표 곁을
맴도는 이유가 뭐야?
넌 이미
태양을 모시고
있잖아.
병사가
필요해?
너무 멋대로라는
생각 안 드니, 너?

특별해?
확실한 의미를
두고 있어?
너한테 설명할
필요는 없지만
한 가지 알아둬.

승표와 네가 가진 추억과는 비교할 수 없을 만큼 짧지만, 나와 승표와의 시간도 분명 존재해.
내가 모르는 너희들만의 세계가 있듯이 승표와 나만의 공감지대도 있어. 그곳에 한 번도 널 포함시킨 적 없어.
승표를 친구로 걱정하고 잘 되길 바라는 건 너와 내가 가진 공통 의견일 거야.
하지만 오랜 세월을 겪으며 함께 자란 우리들만의 감정선, 넌 읽지 못해.
세월의 길이로 친구의 서열을 정하는 건 물론 아니야. 하지만 적어도 승표에 대해선 너보다 많이 알아.
승표가 네게 보여준 모습은 늘 결론 부분이었을 거야.

그 과정이
어땠는가를 알면
그 녀석 앞에
그런 뻔뻔한
태도로 나서지
못했을 테니까.
…….

내가 말했지,
그 녀석 손 놓으라고.
양다리면 더욱 용서 못하니까,
까불지 말고 사라져!

이하윤과
어긋날 때마다
승표한테
어리광 피우지
말란 말이야!

타앗

이미
네 속 정도는
다 읽고 있어.
너야말로
까불지 마,
이해준!

스위스! 요!
그림 같군!
누가 그랬지?
스위스의 풍경은
화가도 사진도
표현해낼 수 없다고
말이야.

정말이네!
이 생명력을
종이 위에 어떻게
담을 수 있겠어!
하하…
이리와!
이쁜것!
who are you?
빨리 알프스 산에
갑시다!
하이디 만나러!

…….

내일부터
강행군이니까
오늘은 푹 쉬어!

빠아앙
빵
빠앙
AMI!
하윤!
누가 왔는지
봐요!
M993 JOG
야아~.
REX! JINO!

Yo!
Carisma!
야아…,
꿈이 아니네!
더 근사해
졌는걸!
저 친구! 유럽 차트를 평정한
ROCK그룹 '카리스마' 아냐?
정말 REX와 JINO야!
맞아요.
그럼…,
하윤이
스위스 멤버가
바로 이 '카리스마'
였단 거야?
맞다고요!
일급 프로젝트라는 게
이 친구들과 관계 있는 거였어?
그렇다면… 혹시!

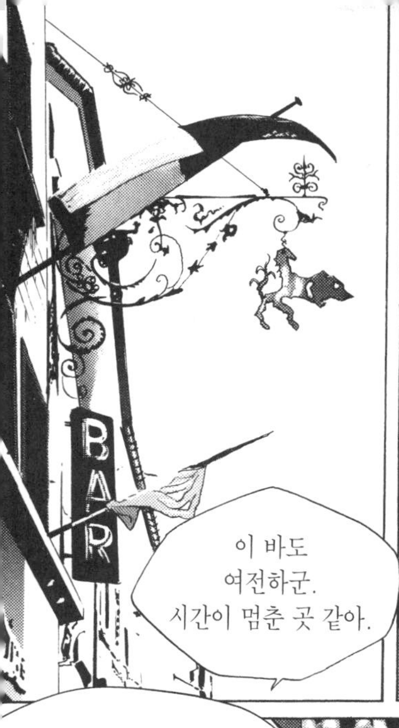
BAR
이 바도
여전하군.
시간이 멈춘 곳 같아.

배신하고 가서
잘 돼가나?
너한텐 너무 좁은 곳
아닌가?

무심한 친구야!
왜 연락 한번 안 한 거야?
우린 유럽을 삼켰어!
네가 있었으면 벌써
대륙까지 삼켰을 거야.
늘 외사랑이었지만
다시 합류해준다면
보상될 텐데.
COOT
하하하

여전히
달콤한
말솜씨야.

농담 아냐! 몇 번이나 집에 갔다.
platinum을 기록한 첫날부터 갱신할 때마다 갔지. 너와 함께 만든 노래였잖아.
BLUO FAKE
그 집이 아직 너의 소유이기에 돌아올 거라 생각했거든.

무슨 소리야? 그 집은 3년 전 처분했는데.
그래? 네 이름으로 비어 있던데? 매주 청소하는 파출부와 마주친 적도 있어.

한국인 대학 교수가 가끔 들러본다 하더군.

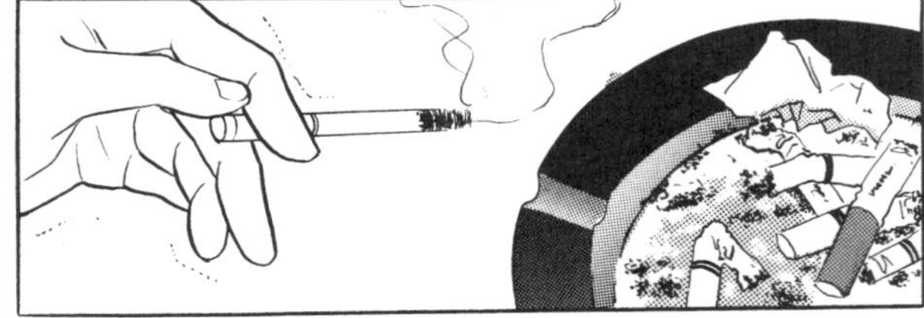

암튼! 네가 다시
돌아온 줄 알고
얼마나 기뻤는지!
…정말 몰랐어?
그녀와 전혀 관계
없는 거야?
…….
COOT

BLUE

SEA OF BLUE 우나현

열아홉에 승표를 낳고
현실의 무게를 못 견딘 사랑의 동아줄은
그녀를 절망의 나락에 내팽개친다.
본가에 빼앗겼던 아들 승표가
승진을 통해 생모의 비밀을 알고
열다섯에 스스로 찾아오기 전까지
단 한 번의 만남도 허락되지 않았다.
승표의 사투 끝에 모자의 정을 되찾아
혹독한 인생의 겨울을 보내고 맞이한 봄이지만
보상의 시간은 지극히 짧았다.

HOSPITAL
이러시면 안 됩니다!
저희도 최선을 다하고
있습니다.

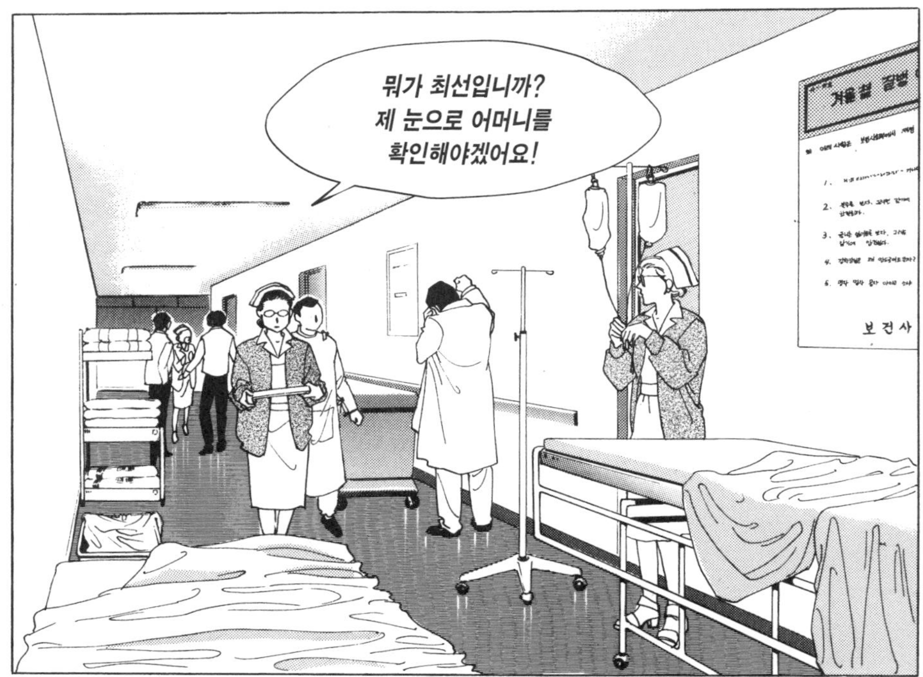
뭐가 최선입니까?
제 눈으로 어머니를
확인해야겠어요!
겨울철 질병
보건사

이러시면
환자에게
방해가….
탁
아앗!
무슨 일인가?

잠시면 됩니다.

…….

모두 비켜
주시겠습니까.
그건
곤란합니다.
매우 위험한
상태라 계속
체크해야….

부탁드립니다.
…….
탁

지금
뭐 하고 있는 거예요.
왜…,
그런 모습으로 있어….
내가 어떻게 하길 원하세요.
또 다시 가슴에 묻고 모르는 척
아무 일 없는 듯 그냥 안아드려요?
언제나처럼 태어난 이유만으로
용서를 빌까요?
언제까지요?
뭐가 이리 길어요?
지겹지도 않으세요?
아직 선택할 것이
남아 있다고 생각해요?
공평하게 가질 수 있는 건
하나뿐이야….
그것조차 실패하고
이렇게 쓰러져서는
뭘 어쩌겠다는 거야….

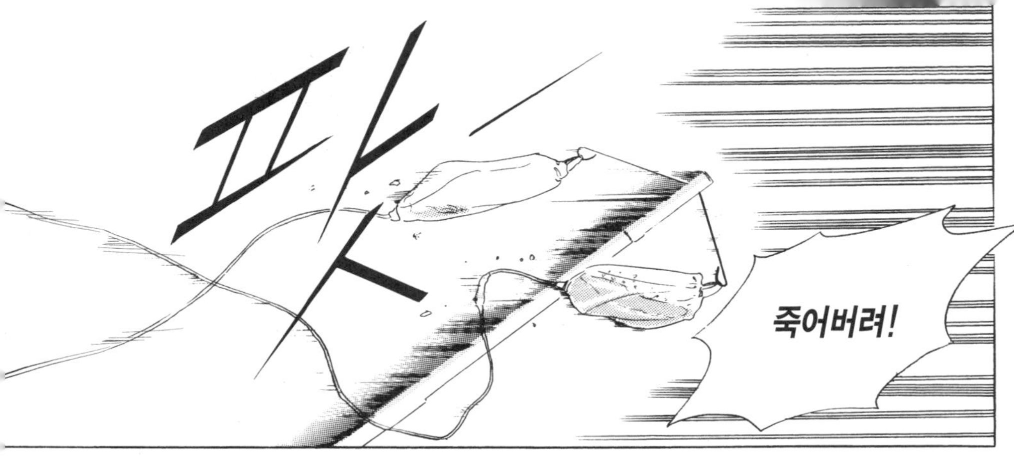
파
죽어버려!

이렇게 살 거면
차라리 죽는 게
나아!
다 끝내
버려요!
쨍그랑

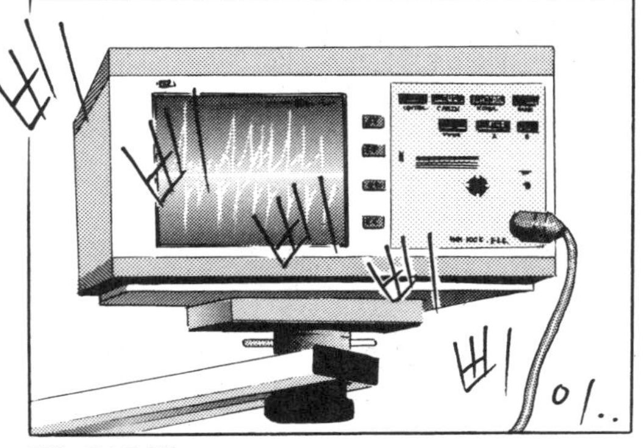
삐
삐
삐
삐
삐이..

꺄악!
무슨 짓이야!

이봐! 진정해요!
제대로 죽지도 못하면서! 내게 원하는 게 이거였다면 도와드릴게요! 나만 있으면 된다고 했잖아! 틀림없이 따라가줄 테니까.
사람을 불러! 누가 좀….
프극

그만….
됐어….
여긴
내가 있을 테니
집에 가서
좀 쉬도록 해….

러시 때는 골목길이
지름길이지!
알려지지 않았으니
망정이지 이 길은
아는 사람들만 안다구.
딴 데 말하지 마.

어…, 이 길은!
저 아래가 은행로
주택단지 맞죠?
약수터 지나온 거죠?
이 부자 동네를
꽉 꿰고 있네?
알아, 여기?

친구가
여기 살아요.
며칠 전에
허탕치고
갔었는데….

잠깐만요!
불이 켜져 있네?
친구가 있나
봐요.
끼이익

소문 내야지!
밤에 남자 친구네
놀러갔다고.
굉장한 부르주아
친구….
조심해서 가세요.
전화 드릴게요.
끼이…
문이 열려 있잖아?
대체 문단속을 어떻게
하고 있는 거야?
끼이이…
처음 오는 집에
이렇게 뻔뻔히
들어와도 되는….
여기까지 왔는데
그냥 돌아가는 것도
그렇잖아….

현관문까지 열려 있어?

휘이이이
어디서
바람이….

느낌이
이상해!
핫!

승균아!!

설마….
말도 안 돼!
아닐 거야!

승표야!
정신 차려!
타다닥!
홍승표!
눈 좀 떠봐! 제발….
도움이 필요해!
삐리리리리
삐리리리리리…

어어….
여보세요? 거기
승표네….
도와주세요!
승표가
깨어나질 않아요!
전 연락드릴 만한
다른 곳을 모릅니다.
어떻게 해야….
…신현빈?
어떻게 된 거야?
승표가 뭐?
집안 모든 문이
다 열려 있어!
약병, 유리 파편,
주사기….
승표가
일어나질
않아!
승표야….

예…, 탈진해서 잠든 줄 모르고…. 몸이 얼어 있었어요, 찬바람이 계속 불어서.
아…. 제법 시간이 지난 셈인데요.
다행히 기침은 안 해요. 예…, 그럼 깨워서 뭐라도 먹이고 재워야겠어요.

예, 제가 계속 있을 겁니다.
예…, 전화 주십시오.

……
달칵

한 부분은 인정해야겠구나.
난… 다시 와볼 생각은 못했어. 기껏 전화 정도.
…….

너 괜찮겠어?
너무 늦었잖아.
집에….
또 그냥 갈 수는 없어.
승표가 깨어나는 거
보기 전엔.

승표는 괜찮아.
지쳐서 잠든 거야.
한 가지
물어봐도 되니?
…승표,
주사나 약이 필요할 정도로…
심각해?

승표…,
누구보다
강한 남자야.
어설픈 타협
따윈 안 해.
그럼 어째서!

승표 어머니가
창문에서 뛰어내리셨어.
약의 도움 없이는 그리
못하셨을 거야.
지금 위독한 상태고
깨어나지 않으셨어,
아직….

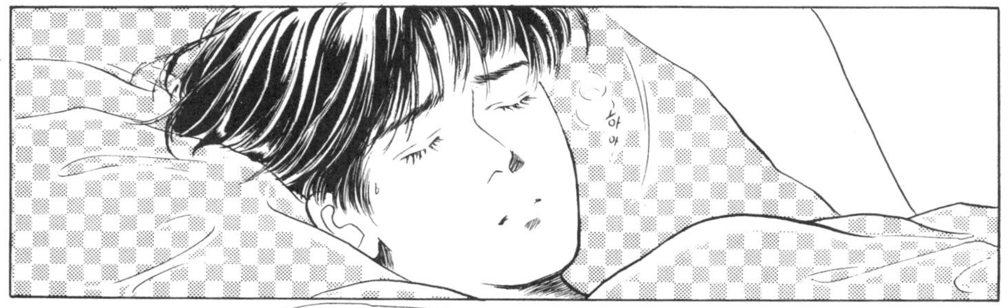

승표야!
승표!
……

이제 깨셨나?
잠자는 왕자님!
해준아….
이번엔 정말 놀랐어.
너 다시는 안 일어나는 줄
알았다.
이 자식!
기억에 남는 환영식이
될 거야.
아직은
아냐….

그래…,
내가 들어갈 자리가 아니야.
너희들 모습이 너무 예뻐서
눈물이 날 것 같아….

저기…,
널 깨운
공주님.
꼬박 네 곁을
지켰다.
…

오랜만에
오셨는데
벌써
가시는
겁니까?
네. 손님이 올지도
모르니 각별히
신경 써주세요.
ROVER

salut—.
...

M993 JOG

이게 뭐예요,
어머니?
너를 낳던 날
네 아버지가 주셨다.
네 것을 챙길 수 있을 때까지
보관했던 거니까.

이렇게 하려던 거였나?
그래서…,
이 실낱 같은 한 줄을
남겨놓았던 거야?
왜 이제 와서….

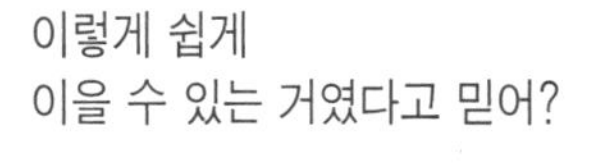
이렇게 쉽게
이을 수 있는 거였다고 믿어?
다 끝났잖아….

끝났어….

커피 마실래?
승표야!
아아…,
그래.
병원 안 가봐?
어머니….
…….

삐리리리
리리리
어!
챙그랑
.....
삐리리리리...

삐리리리!
여보세요?
승진 형이세요?
예!
어머니
깨어나셨어요?!

승표야!
어머님이 의식을
찾으셨어!
널 찾고 계신대!
승표야…?
안 돼….
안 돼….
엄마….
아직 안 돼요….
그건
진심이 아니었어….

SPITAL

머리를
감을 수가 없어….

제가
해드린다고
했잖아요.

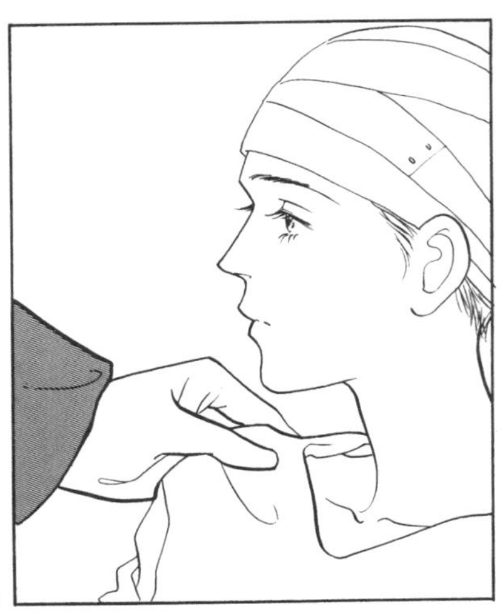

이젠…
그 누구도
방해하지 못하게
할게요.

하아…
하아

다시는
볼 수 없는 거니?
해준아…,
이런 식으로
끝나는 거니?
하아아…
하아아…
그건 불가능하잖아.
무용을
그만두지 않는 한….

…….

해준아!

승표…
어머니가
돌아가셨어….

…추워!
너무 추워!
좀 더 두꺼운 옷을 입혀드릴 걸 그랬어….
집안 전체가 불덩이였는데도 얼음장처럼 찬 몸을 하고서는 춥다 하셨어….
모든 불을 다 올렸어요. 곧 괜찮아지실 거예요, 어머니.
승표 너 애기 때 정말 작았어…. 엄지 인형만 했다.
이렇게 품에 넘치게 커다래질 거란 생각 못했는데….

네 외할머니
돌아가시던 날도 이랬어.
그때는 자신의 마지막을
준비한 듯 말씀하신 것을
이해 못했지만
이제 알겠어.
굴절된 삶이었지만
내 인생에 있어
세 명의 연인을
가졌던 건
행복이었다.
우리 엄마…, 너…,
그리고 혈연의 정과는
다른 신뢰로
사랑해준 네 아버지….

노력했지만
내 열정은 열아홉에
머물러 있어
다른 사랑에
빠질 수 없었다.

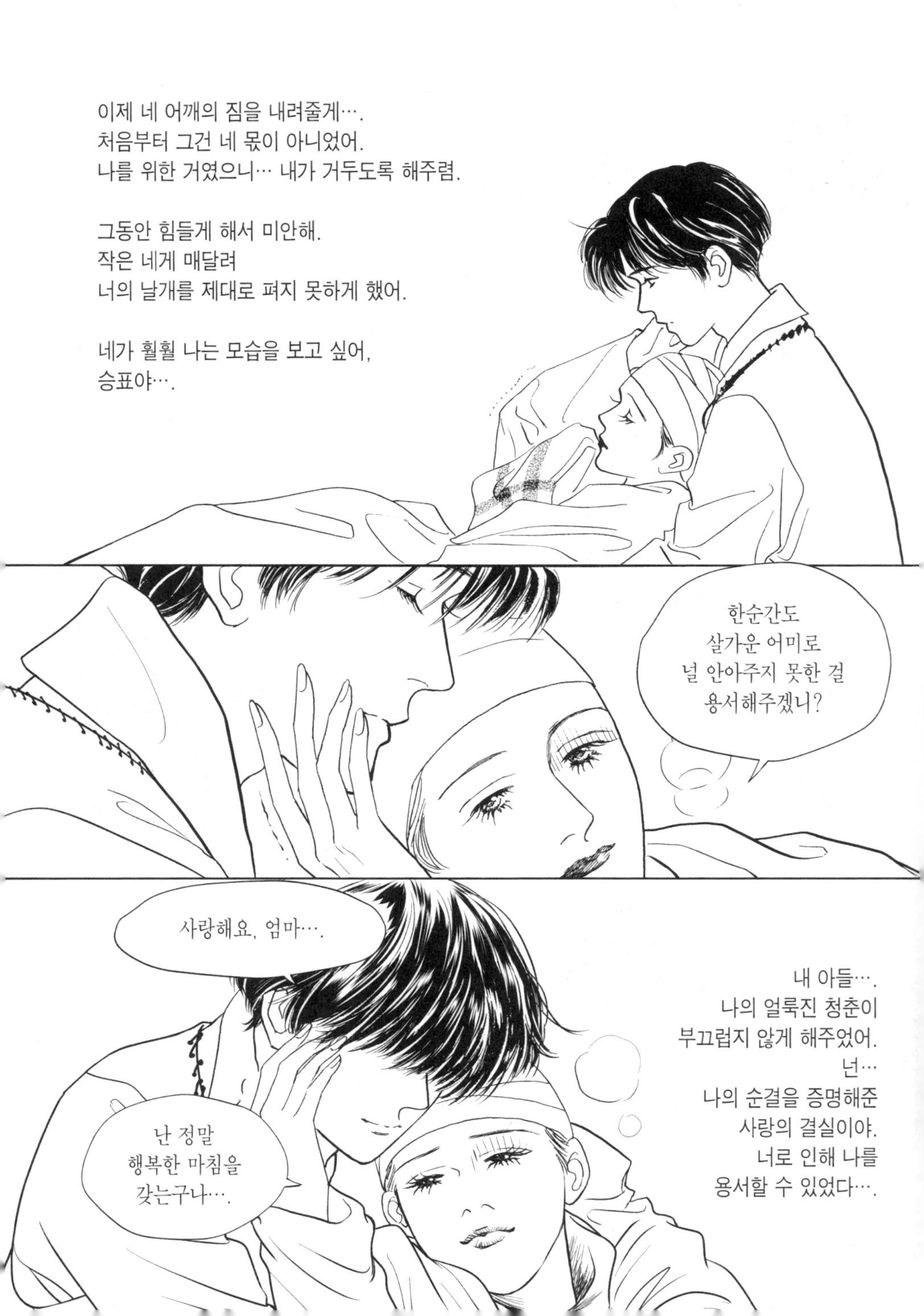
이제 네 어깨의 짐을 내려줄게….
처음부터 그건 네 몫이 아니었어.
나를 위한 거였으니… 내가 거두도록 해주렴.
그동안 힘들게 해서 미안해.
작은 네게 매달려
너의 날개를 제대로 펴지 못하게 했어.
네가 훨훨 나는 모습을 보고 싶어,
승표야….
한순간도 살가운 어미로 널 안아주지 못한 걸 용서해주겠니?
사랑해요, 엄마….
난 정말 행복한 마침을 갖는구나….
내 아들….
나의 얼룩진 청춘이
부끄럽지 않게 해주었어.
넌…
나의 순결을 증명해준
사랑의 결실이야.
너로 인해 나를
용서할 수 있었다….

하아……
사랑한다….
널 만난 걸 하늘에
감사해….
어머니…?

아직 머리를 감지 않으셨잖아요. 조금만 더 있다 가셔도 되잖아요.
많은 시간을 바란 게 아니잖아…. 이럴 때는 서두르는 게 아니야.

편안하게 가셨을 거야….

그만… 보내드리자.
못 가셔.
아직 아냐….

승표야!
뜨거운 목욕물을 준비해줘, 형….
승표야…, 다음에 내가 이 세상을 떠날 때,
다시 한번 머리를 감겨주겠니?
머리를 감겨드리기로 약속했어….

마지막은 꼭….
행복하고 싶어.
몸이 식기 전에
머리카락을 말려드려야 해.
형……!!!
추운 건 못 견디시니까….
괜찮으실 거다.
눈 오는 날을
좋아하셨으니….

승표야!
승표…,
괜찮아?
이건…
생각보다 더 심해!

이렇게까지
외롭고 힘든 줄은
가늠치 못했어.
아무도!

모두 고맙다….
여기까지 와주어서….
승표…. 도저히 바로 볼 수가 없어….

고맙습니다,
아버지….
어머니를
사랑해주셔서….
…….

……….

그러게
말입니다….
그 어떤 어른도
그보다 강하지
못했을 겁니다.

뭐야, 뭐!
그렇게들 처져 있으니까
오히려 승표가 위로하잖아,
이놈들아!

어디 가서들 좀 풀자.
오늘 내가 한잔 사지!
전…,
여기서 내릴게요.

왜, 연우야!
같이 가서….
다음에요.
…….

저도 내려야
겠는데요,
형.
…….

남대문로

…레슨 있어?
응….

무리하지 마. 아직… 발목 안심해서는 안 되니까.

동로로서
유효해.
변함없이….

오늘…
힘들었지?
와줘서 고마워.
너 없었으면 승표
섭섭했을 거야.
친구로서도
여전히.

널 잃기 위해…
단념해야 할 것이
너무 많아….
그게 무슨 뜻인지
넌 상상도
못할 거야….
해준아…,
난… 두려워….

내 자신이
무섭단 말이야!
먼저 갈게….
연우야!

탁 탁 탁

혼자
걷고 싶어.
…….
달칵…

세워줘,
형….

먼저 가요.
난 괜찮으니까.
탁
RECARO

달칵
어머님이
떠나시던 날…,
난 네가
현실을 이탈한 줄
알았다.
힘들겠지만
도망칠 생각 마.

이 세상에 단 하나뿐인
나의 형제….

존재 자체만으로도
용서할 수 없던.

어쩌면
처음부터 사랑했는지
모른다.

내 아버지의 모습인
너를….

—4권에서 계속—

LEE EUN HYE SPECIAL EDITION
BLUE 3

2024년 5월 25일 초판 1쇄 발행

저자 이은혜

발행인 정동훈
편집인 여영아
편집책임 최유성
편집 양정희 김지용 김혜정 조은별
디자인 디자인플러스

발행처 (주)학산문화사
등록 1995년 7월 1일
등록번호 제3-632호
주소 서울특별시 동작구 상도로 282 학산빌딩
편집부 02-828-8988, 8836
마케팅 02-828-8986

ISBN 979-11-411-3208-8 (07650)
ISBN 979-11-411-3205-7 (세트)

값 16,500원